Susan Kaufmann • Lutz Rohrmann • Petra Szablewski-

Orientierung im Beruf

Ernst Klett Sprachen

Stuttgart

Von Susan Kaufmann, Lutz Rohrmann und Petra Szablewski-Çavuş

Visuelles Konzept und Layout:
Andrea Pfeifer, Kommunikation + Design, München

Illustrationen:
Theo Scherling

Umschlagfotos:
links: Claus Koeppel, Mitte und rechts: Anke Schüttler

Redaktion:
Hedwig Miesslinger und Lutz Rohrmann

Materialien zu Orientierung im Beruf:
Intensivtrainer   606122

Hinweise und Anregungen für Lehrerinnen und Lehrer finden Sie unter:
www.klett-sprachen.de

1. Auflage   1 8 7 6 I 2019 18 17

Gesamtherstellung: Print Consult GmbH, München

ISBN 978-3-12-606124-7

Kommunikation im Betrieb

Sprache am Arbeitsplatz

Ungefähr 70.000 Stunden unseres Lebens verbringen wir am Arbeitsplatz. Das ist viel mehr Zeit als mit der Familie und mit Freunden. Am Arbeitsplatz haben wir wichtige soziale Kontakte.

Wir sprechen aber mit Kollegen anders als mit Vorgesetzten, mit Mitarbeitern anders als mit Kunden – für jeden haben wir eine andere „Sprache".

Frau Müller, Meier ist krank. Kilic übernimmt heute seine Tour.

Das Päckchen kommt morgen noch an. Vielen Dank! Noch einen schönen Tag!

von oben herab

höflich   kollegial

ungeduldig   ruhig

freundschaftlich

freundlich

Mehmet, Sie sollen die Tour von Herbert Meier übernehmen.

neutral

ärgerlich

Würden Sie bitte hier noch unterschreiben?

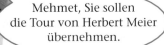

emotional

Mehmet, ärger dich nicht. Ist doch halb so schlimm.

distanziert

umgangssprachlich

...

Ey, mach schon, ich muss los!

1 Überlegen Sie: Wie spricht wer mit wem? Die Adjektive helfen. Suchen Sie noch weitere im Wörterbuch.

Kollege – Chef – Kunde

Mit Kolleginnen und Kollegen spricht man normalerweise direkt, einfach, vielleicht auch umgangssprachlich. Man nennt das „informell". Die Sprache gegenüber einem Vorgesetzten oder Kunden ist dagegen höflich und distanziert. Man benutzt in der Regel kompliziertere grammatische Strukturen. Das nennt man „formell".
Hier zwei Beispiele:

Kollege und Kollegin: informell

Mechaniker und Kundin: formell

○ Große Inspektion und TÜV.
● In 'ner halben Stunde, ich mach noch den Mazda.
○ O.k., er steht draußen.
● Alles klar.

○ Wann kann ich meinen Wagen wieder abholen?
● Ich habe hier noch einen Mazda, der muss heute noch fertig werden. Ich denke, morgen Vormittag können Sie Ihren Wagen holen.
○ Könnten Sie mich anrufen, wenn er fertig ist?
● Selbstverständlich. Bitte hinterlassen Sie im Büro noch Ihre Telefonnummer.

	formell	informell
1. Klappt's?	☐	☐
2. Einen schönen guten Morgen, die Damen!	☐	☐
3. Wunderbar. Machen Sie noch drei weitere Exemplare.	☐	☐
4. Muss los.	☐	☐
5. Du, gib mir mal kurz das Teil da.	☐	☐
6. Noch eine Frage: Sollen wir noch zusätzliche Materialien bestellen?	☐	☐
7. Kommst du mit zum Mittagessen?	☐	☐
8. Hast du eine Ahnung, was dahinten los ist?	☐	☐
9. Hallo, Herr Kunzmann.	☐	☐
10. Könnten Sie das bitte verschicken?	☐	☐
11. Sagen Sie Herrn Meier, er soll sich sofort bei mir melden.	☐	☐
12. Echt gut!	☐	☐
13. Bitte denken Sie daran, die Unterlagen mitzubringen.	☐	☐
14. Könnten Sie bitte mal zur Werkstatt kommen?	☐	☐
15. So ein Mist!	☐	☐

A
○ Ich geh.
● Bleib doch noch.
○ Muss los.
● Wieso?
○ Der Chef! Du kennst ihn doch.
● Na dann.

B
○ Könnten Sie in mein Büro kommen?
● Ich müsste noch etwas fertig machen …
○ Ich meine sofort!
● Selbstverständlich.

C
○ Darf ich Ihnen etwas zu trinken anbieten?
● Ich nehme gerne einen Kaffee, vielen Dank.
○ Ich freue mich sehr, dass Sie sich die Zeit genommen haben.
● Das ist doch selbstverständlich. Womit kann ich dienen?
○ Ich möchte Sie um Ihre Mitarbeit bei unserem neuen Projekt bitten.
● Das hört sich sehr interessant an.

1 Lesen Sie die Texte oben und die Aussagen 1–15. Zu welcher Sprachebene (informell/formell) gehören die Aussagen 1–15?

2 Überlegen Sie: Zwischen wem finden die Gespräche A, B und C statt? Woran erkennen Sie das?

3 Haben Sie schon jemanden falsch angesprochen? Erzählen Sie im Kurs davon.

4 Trainieren Sie Dialoge in unterschiedlichen Rollen.

 Projekt: Hören Sie bei Gesprächen zu. Sammeln Sie Beispiele von Sprache in unterschiedlichen Hierarchiestufen.

Miteinander sprechen im Team

① Was kann ich sagen, wenn jemand mich unterbricht?

② Wie kann ich in einer Diskussion einen neuen Punkt ansprechen?

③ In einer Teambesprechung will ich manchmal zusammenfassen, was die anderen gesagt haben. Wie mache ich das?

④ In Deutschland hören die Leute meistens zu, wenn einer spricht. Aber wie weiß man, wann man etwas sagen kann?

⑤ Was kann ich machen, wenn ich merke, jemand hört mir nicht zu?

⑥ Was sage ich, wenn ich nicht weiß, ob ich etwas richtig verstanden habe?

Nachfragen
- Entschuldigung. Habe ich das richtig verstanden?
- Meinen Sie wirklich, dass ...
- Ich wiederhole das noch einmal, damit keine Unklarheiten bleiben.
- Ich sage das noch einmal in meinen Worten.

Zum Ende kommen / zusammenfassen
- So weit, so gut.
- So viel für heute.
- Das war alles.
- Ich fasse noch einmal zusammen.
- Wir sind uns also einig, dass ...

Jemand hört nicht zu
- Ich möchte mal nachfragen: Interessiert Sie, was ich sage?
- Entschuldigen Sie. Hören Sie zu?

Sprecherwechsel
Der Sprecher signalisiert ohne Worte, dass er fertig ist.
Er macht eine kleine Pause. Oder er sagt:
- Was sagen Sie dazu?
- Ich hätte dazu gerne Ihre Meinung gehört.
- Wie sollen wir mit diesem Problem umgehen?

Einen neuen Punkt ansprechen
- Was ich noch sagen wollte: ...
- Da gibt es noch eine Sache: ...
- Ich möchte noch etwas anderes ansprechen.

Auf Unterbrechungen reagieren
- Darf ich bitte ausreden?
- Ich bin noch nicht fertig.
- Bitte unterbrechen Sie mich nicht.
- Sie können gerne nachher noch etwas sagen.

1 Kennen Sie Teamarbeit im Beruf oder im Alltag? Erzählen Sie im Kurs.

2 Beantworten Sie die Fragen in den Sprechblasen. In den Kästen finden Sie Hilfe.

3 Üben Sie im Kurs das Wiederholen: Sprechen Sie mit Ihrem Nachbarn. Bei einem Glockenton muss der Zuhörer den letzten Satz des Sprechers wiederholen. Wechseln Sie mehrmals die Rollen.

Kommunikation am Telefon

Telefonieren gehört zur Kommunikation in jedem Betrieb. Telefongespräche laufen oft nach Mustern ab.

A Anrufen: jemanden begrüßen und sich vorstellen

Guten Tag. Mein Name ist ....

....

....

....

B Jemanden zurückrufen

Sie wollten, dass ich zurückrufe.

Sie haben eine Nachricht auf meinem Anrufbeantworter hinterlassen.

Ich habe gestern ein Schreiben von Ihnen bekommen. Sie haben um einen Anruf gebeten.

C Den Grund des Anrufs nennen

Ich rufe an auf Ihre Anzeige ....

....

....

D Sich verbinden lassen

Bitte geben Sie mir die Personal-abteilung.

Bitte verbinden Sie mich mit ...

Ich weiß nicht, wer für mich zu-ständig ist. Könnten Sie mich bitte verbinden?

Ich möchte mit Frau Kraushaar sprechen.

E Einen Anruf entgegennehmen

Blumen Rudolf, Hamidi, guten Tag! Was kann ich für Sie tun?

....

....

....

F Für eine andere Person antworten

... ist leider gerade nicht am Platz. Kann ich etwas ausrichten?

... ist heute nicht im Haus. Soll sie zurückrufen? Dann geben Sie mir doch bitte Ihre Telefonnummer.

Wir haben gerade Mittagspause. Bitte rufen Sie später noch mal an.

G Unterbrechen, nachfragen

Entschuldigung, das habe ich nicht richtig verstanden.

....

....

....

H Um Rückruf bitten

Mein Name ist ... Frau Weber möchte mich bitte unter der Num-mer ..., ich wiederhole ..., zurück-rufen. Vielen Dank.

Herr Meier möchte mich bitte heute noch zurückrufen. Es ist dringend!

I Eine Nachricht hinterlassen

Bitte richten Sie ... aus, dass ich angerufen habe.

....

....

....

J Auf einen Abrufbeantworter (AB) sprechen

Mein Name ist ... Ich buchstabiere ... Bitte schicken Sie mir ... Meine Anschrift ist ... Vielen Dank.

Hallo, Alla! Du, kannst du morgen den Spätdienst für mich überneh-men?

K Sich verabschieden

Vielen Dank für Ihre Hilfe.

....

....

....

1 Sammeln Sie selbst Ausdrücke und Sätze, die Sie beim Telefonieren brauchen. Welche kennen Sie aus Ihrem Beruf/Alltag?

2 Welche Redemittel sind besonders höflich? Woran erkennen Sie das?

3 Schreiben Sie ein Telefongespräch auf und spielen Sie es im Kurs vor.

Gespräch mit dem Chef

Oft merkt man die Hierarchie im Betrieb nicht. Der Chef / Die Chefin ist freundlich, alles läuft gut. Aber wenn es Probleme oder Ärger gibt, dann spielt die Hierarchie am Arbeitsplatz eine wichtige Rolle.

Gespräche zwischen Vorgesetzten und Mitarbeitern sind oft kompliziert. Ist ein gleichberechtigtes Gespräch möglich? Manche Leute meinen, ein Chef soll kollegial sein. Andere Leute sagen, er muss autoritär sein. Seine Aufgabe ist es, klare Anweisungen zu geben.

Ein Gespräch mit dem Chef suchen
– Haben Sie einen Moment Zeit für mich? Ich möchte mit Ihnen über … sprechen.
– Ich habe ein Problem mit …
– Ich hätte gerne Ihre Unterstützung bei …

1 Sprechen Sie über die Karikaturen. Beschreiben Sie die Situationen.

2 Welche Erfahrungen haben Sie mit Chefs gemacht? Was ist Ihre Meinung? Erzählen Sie im Kurs.

Ein paar Regeln:

1. Bereiten Sie sich auf ein Gespräch mit dem Chef vor.
2. Fragen Sie Kollegen, auf was Sie achten sollen.
3. Überlegen Sie sich Ihre Ziele.
4. Schreiben Sie die Fragen auf, die Sie behandeln wollen.
5. Seien Sie klar und direkt.
6. Scheuen Sie sich nicht zu zeigen, dass Sie etwas wollen.
7. Sprechen Sie über Probleme, die Sie stören, bevor Sie explodieren.
8. Stellen Sie kurze und deutliche Fragen.
9. Wenn Sie etwas nicht verstehen, bitten Sie um Klärung.
10. Formulieren Sie Vorschläge.
11. Lassen Sie sich nicht entmutigen. Wiederholen Sie Ihren Wunsch.
12. Versichern Sie sich, dass beide dasselbe meinen.
13. Bedanken Sie sich für das Gespräch.

Checkliste: War ich klar und deutlich?

Füllen Sie diesen Fragebogen nach einem wichtigen Gespräch aus. Er hilft Ihnen zu sehen, was gut war und was Sie besser machen können.

Hatte ich ein klares Ziel?   ja/nein

Hatte ich aufgeschrieben, was ich sagen wollte?   ja/nein

Habe ich meine Wünsche klar und deutlich gesagt?   ja/nein

Habe ich das Thema gewechselt?   ja/nein

Habe ich alles verstanden?   ja/nein

Habe ich um Klärung gebeten?   ja/nein

Habe ich selbst einen Vorschlag formuliert?   ja/nein

Habe ich mich entmutigen lassen?   ja/nein

Was habe ich gut gemacht? _____

_____

Was werde ich nächstes Mal besser machen? _____

_____

3 Sammeln Sie im Kurs Themen für ein Gespräch mit dem Chef und trainieren Sie das Gespräch (z.B. Urlaub außer der Reihe bekommen, eine Gehaltserhöhung bekommen usw.).

4 Trainieren Sie, deutlich zu sprechen. Spielen Sie im Kurs „Stille Post".

1

9

Sagen, was man denkt?

In Kulturen wie der deutschen sagt man meistens ziemlich klar und direkt, was man denkt. Klarheit und Direktheit gelten als positiv.

In anderen Kulturen sind harmonische Beziehungen sehr wichtig. Dort sagt man oft nicht direkt, was man denkt und fühlt. Dazu eine kleine Geschichte.

Ein Koreaner, ein Holländer und ein Deutscher essen in der Kantine eines Betriebs Fleisch mit Nudeln, Gemüse und Salat. Das Fleisch ist leider zu lange gebraten und zäh wie Leder. Wie reagieren der Deutsche, der Koreaner und der Holländer?

Der Deutsche sagt vermutlich: „Ich habe schon besseres Fleisch gegessen." Über die Nudeln und das Gemüse verliert er kein Wort.

Der Holländer nimmt es mit Humor und sagt: „Oh, jemand hat in der Küche eine Schuhsohle verloren. Bitte mehr Pfeffer!" Und wahrscheinlich lobt er das frische Gemüse und den knackigen Salat.

Der Koreaner verliert kein Wort über das Fleisch. Aber die Nudeln, das Gemüse und den Salat findet er ausgezeichnet.

Tipps zum Umgang mit Kritik

1. Wenn jemand Sie kritisiert,
2. Wenn Sie Kritik hören,
3. Wenn jemand sich beschwert,
4. Wenn jemand sehr aufgeregt ist,
5. Wenn Sie eine andere Meinung haben,
6. Wenn jemand Sie angreift und verletzt,
7. Wenn jemand Ihre Arbeit kritisiert,
8. Wenn Sie einen Fehler gemacht haben,

a) fragen Sie ihn nach seinen Erwartungen und Wünschen.
b) nehmen Sie die Kritik nicht persönlich, sondern bedanken sich erst einmal für das „Feedback".
c) sagen Sie offen, dass Sie eine andere Meinung haben.
d) stehen Sie dazu und korrigieren Sie den Fehler.
e) hören Sie einfach erst einmal zu.
f) fragen Sie nach, was der andere genau meint.
g) bleiben Sie ruhig.
h) setzen Sie klare Grenzen.

– Was genau meinen Sie damit?
– Was genau stört Sie?
– Was möchten oder erwarten Sie genau von mir?
– Vielen Dank für Ihr Feedback.

– Ich bin da anderer Meinung.
– Hmm … So sehen Sie das …
– Bitte einen anderen Ton!
– Ja, stimmt, das war ein Fehler.

---

1 Was denkt der Holländer über den Deutschen, der Deutsche über den Koreaner, der Koreaner über den Deutschen …? Was meinen Sie?

2 Welche Erfahrungen haben Sie mit Kritik und Lob gemacht?

3 Tipps zum Umgang mit Kritik: Verbinden Sie 1–8 und a–h. Es sind verschiedene Lösungen möglich.

4 Üben Sie den Umgang mit Kritik im Kurs in Rollenspielen.

Der Körper spricht mit

Auf den ersten Eindruck kommt es an. Beim ersten Eindruck entscheiden zu 55 % Gestik, Mimik, Kleidung, zu 38 % die Stimme und zu 7 % das, was man sagt.

Gesten

Folgende Gesten können Sie einsetzen, um Ihre Worte zu unterstreichen:

Gibt es in Ihrem Herkunftsland eine Geste für:
„Komm her!"
„Super!"
„Geld" oder „Das ist teuer."
„Du bist verrückt."
„Das ist o.k."
„Es tut mir leid."

Welche Gesten kennen Sie noch?

Blickkontakt

Wie fühlen Sie sich, wenn jemand „über Sie hinwegsieht"? Achten Sie in Deutschland darauf, dass Sie Ihren Gesprächspartner direkt und offen anschauen, ohne ihn anzustarren. Durch Blickkontakt zeigen Sie Aufmerksamkeit.

Distanzzonen

Distanzzonen sind wichtige Elemente im Gespräch. Um die richtige Distanz zu wahren, gelten in Deutschland folgende – unausgesprochene – Regeln:

Intimzone: 60 cm	Dialogzone: 100 cm	Gesellschaftliche Distanz: 100–200 cm
So nahe dürfen Sie einem anderen Menschen nur bei der Begrüßung kommen. Danach müssen Sie wieder auf Abstand gehen.	Diese Dialogzone ist für Gespräche optimal geeignet. Die Gesprächspartner fühlen sich wohl miteinander.	Diese Distanzzone ist die richtige, wenn Sie z.B. mit Fremden an der Kasse in der Kantine stehen oder sich am Arbeitsplatz bewegen, ohne dass aktive Kommunikation stattfindet.
60 cm	100 cm	100-200 cm

1 Schauen Sie die Fotos oben an: Mit wem würden Sie lieber sprechen? Warum?

2 Welche Gesten kennen Sie aus Ihrem Herkunftsland? Finden Sie heraus, wie die Gesten in Deutschland aussehen.

3 Wie fühlen Sie sich, wenn jemand über Sie hinwegsieht? Was denken Sie, wenn jemand den Blick abwendet? Oder wenn jemand Sie anstarrt?

 Projekt: Beobachten Sie, wie sich die Menschen bewegen, und berichten Sie im Kurs.
Schneiden Sie aus Zeitschriften Fotos von Personen aus und sprechen Sie im Kurs über den Gesichtsausdruck oder die Körperhaltung.

Arbeitsverhältnisse

Reinigungsfachkraft

Industriearbeiter/in

Verkäufer/in

Altenpfleger/in

Arzt/Ärztin

Lehrer/in

Bauarbeiter/in

Reisebürokaufmann/-frau

Müllarbeiter

Friseur/in

die Fabrik	korrigieren	herstellen	verkaufen
das Reisebüro	Auskunft geben	die Ware	der Kunde
beraten	helfen	pflegen	der Müllcontainer
waschen	organisieren	das Altenheim	bauen
das Fließband	das Rezept	das Geschäft	die Schule
der Mülleimer	das Gebäude	der Staubsauger	untersuchen
die Praxis	planen	reparieren	färben
bedienen	verschreiben	putzen	das Krankenhaus
verpacken	die Haare schneiden	unterrichten	die Baustelle

1 Berufe – Ordnen Sie die Berufsbezeichnungen den Fotos zu.

2 Ordnen Sie die Wörter den Fotos oben zu. Es gibt mehrere Möglichkeiten.

3 Kennen Sie noch mehr Wörter zu den Berufen? Sammeln Sie im Kurs.

4 Berufsfelder – Zu welchen Berufsfeldern passen die Berufe aus Aufgabe 1? Finden Sie je einen weiteren Beruf für jedes Berufsfeld.

die Produktion	die Dienstleistung
das Handwerk	Medizin/Pflege
der Verkauf/Vertrieb	soziale Berufe
der öffentliche Dienst	

Ich heiße Maria Obando. Ich bin Altenpflegerin von Beruf. Ich arbeite für die AWO. Das heißt Arbeiterwohlfahrt. Wir besuchen alte Menschen zu Hause und helfen ihnen. Wir helfen beim Waschen, beim Wohnungputzen, beim Essen und beim Einkaufen. Wir sind ein „Pflegedienst". Viele alte Menschen in Deutschland leben allein. Sie brauchen Hilfe. Und sie brauchen jemand zum Sprechen. Aber leider hat man wenig Zeit. Ich besuche 8 bis 9 Personen am Tag. Ich verdiene 1200 € netto im Monat. Das ist nicht viel, aber es geht.

Ich heiße Magda Urbanska. Ich bin in Polen geboren. Dort habe ich im Hotel gearbeitet. Ich habe Hotelfachfrau gelernt. Ich habe die Zimmermädchen beaufsichtigt. Heute bin ich selber Zimmermädchen. Ich bin nach Deutschland gekommen, weil mein Freund hier Arbeit gefunden hat. Er arbeitet in einer Fabrik. Er verdient ganz gut. Ich verdiene nicht so gut. Ich will jetzt Deutsch lernen und dann auf eine Fachschule für Tourismus gehen. Dann kann ich vielleicht wieder als Hotelfachfrau oder in einem Reisebüro arbeiten.

Mein Name ist Mirko Radenkovic. Ich arbeite auf dem Bau. Ich bin Bauarbeiter. Die Arbeit ist schwer. Man verdient nicht sehr gut, 12 Euro pro Stunde. Aber meine Firma ist o.k. Andere Firmen zahlen noch schlechter. Manchmal zahlt eine Firma nicht einmal den Mindestlohn von 10 Euro 40 – oder sie zahlt gar nicht! Wir sind fast nur Ausländer. Auf unserer Baustelle sind Menschen aus 10 Ländern (oder sogar mehr). Zu Hause war ich Schreiner. Ich habe schöne Möbel gemacht. Aber hier gibt es keine Arbeit für Schreiner. Ich will zuerst Deutsch lernen. Dann mache ich eine Ausbildung. Ich will Elektriker werden.

Mein Name ist Alexei Stezko. Ich komme aus Weißrussland und bin Arzt. Ich arbeite seit einem Jahr an einer Klinik in Halle. Die Arbeit ist interessant, aber ich muss schnell Deutsch lernen. Das ist nicht einfach, weil ich gleichzeitig viel arbeiten muss. Meine Kollegen sind sehr nett. Die Krankenhäuser sind hier viel besser ausgestattet als in meiner Heimat und ich verdiene viel mehr. Ich möchte hier einige Jahre leben und meinen Facharzt machen. Danach gehe ich vielleicht zurück. Das kommt darauf an, wie sich die Verhältnisse in meiner Heimat entwickeln.

Ich heiße Jasmine Aazar. Ich lebe seit drei Jahren in Deutschland. Ich musste aus meinem Land weg, weil ich Probleme mit der Politik hatte. Zu Hause war ich Lehrerin. Hier habe ich schon viele Jobs gehabt, aber noch keine richtige Arbeit. Ich möchte eine Ausbildung als Krankenschwester machen. Am liebsten möchte ich Lehrerin werden oder Ärztin, aber dazu muss ich erst Abitur machen und dann studieren. Und ich bin ja schon 35 Jahre alt.

1. Wenn Frau Urbanska genug Deutsch kann, will sie …

2. Herr Stezko ist in Deutschland, weil …

3. Mirko Radenkovic sagt, dass auf dem Bau …

4. Altenpflegerinnen gehen zu den alten Menschen und …

5. Wenn man Lehrerin werden will, muss man …

5 Berufsbeschreibungen – Welche Bilder auf Seite 12 passen zu welchen Texten?

6 Schreiben Sie die Sätze 1–5 zu Ende. Es gibt mehrere Möglichkeiten.

7 Schreiben Sie einen Text über sich. Die Texte oben helfen Ihnen.

Was bin – kann – weiß – will ich?

Ein Fragebogen zur Selbsteinschätzung ✔

In der Schule habe ich rechnen, schreiben, lesen gelernt.

Ich war _____ Jahre in der Schule.

Ich lerne gern / nicht gern.

Ich spreche ☐1 ☐2 ☐3 ☐4 Sprachen, und zwar _____

Ich kann
- ☐ alte Menschen pflegen
- ☐ Auto fahren
- ☐ Autos reparieren
- ☐ backen
- ☐ Computer installieren
- ☐ Computerprogramme erklären
- ☐ einen Haushalt organisieren
- ☐ elektrische Geräte installieren
- ☐ elektrische Geräte reparieren
- ☐ Fahrräder reparieren
- ☐ Kinder betreuen
- ☐ Kleidung nähen/reparieren
- ☐ Gärten anlegen/pflegen
- ☐ kochen
- ☐ Wohnungen renovieren

- ☐ singen
- ☐ ein Musikinstrument spielen
- ☐ Haare schneiden
- ☐ verkaufen
- ☐ Menschen beraten
- ☐ Dinge bauen

Und das kann ich auch noch:

☐ _____
☐ _____
☐ _____
☐ _____

☐ Ich bin gern mit Menschen zusammen.
☐ Ich spreche gern.
Ich bin meistens ☐ sehr gut gelaunt ☐ gut gelaunt ☐ eher nicht so gut gelaunt.
Ich bin ☐ sportlich ☐ nicht so sportlich.
Ich lese gern ☐ Bücher ☐ Zeitungen ☐ _____

☐ Ich arbeite gern mit Menschen.
☐ Ich arbeite gern allein.
☐ Ich möchte meine Arbeit selbst bestimmen.

☐ Ich finde es gut, wenn man mir genau sagt, was ich tun muss.
☐ Ich arbeite gern draußen.
☐ Ich arbeite gern im Büro.

Das ist für mich im Arbeitsleben wichtig:

_____
_____

Mit diesen Tätigkeiten habe ich in meinem Leben schon mal Geld verdient:

_____
_____

1 Kreuzen Sie im Fragebogen an und ergänzen Sie.

2

14

2 Formulieren Sie fünf Fragen. Machen Sie je zwei Interviews. Notieren Sie die Informationen und berichten Sie im Kurs.

> Ich arbeite zwar gern mit den Händen, aber ich möchte lieber in einem Büro arbeiten oder in einem Geschäft.

Bist du gern mit Menschen zusammen?
Arbeitest du gern mit den Händen?
Arbeitest du lieber draußen oder im Büro?
Was ist wichtig für dich bei der Arbeit?
Arbeitest du lieber selbstständig oder in einer Gruppe?
Was kannst du besonders gut?
Was möchtest du gerne können?

Sakir hat gesagt, dass er gerne mit Menschen zusammenarbeitet.

Aylin arbeitet zwar gerne mit den Händen, aber …

Das Wichtigste bei der Arbeit ist für ihn/sie, dass …

Er/Sie findet, dass selbstständig arbeiten zwar Vorteile hat, aber …

	Sakir:	Aylin
Menschen	+	++
Hände	++	+/–
wichtig	Geld	Geld
		+ Klima

Pläne machen

1 Notieren Sie Ihre Pläne.

Nächste Woche mache ich … Ich will …
In einem Monat oder zwei will ich … Vielleicht kann ich …
In einem halben Jahr gehe/mache ich …
Meine Pläne für das nächste Jahr sind:
In zwei Jahren möchte ich das sein/tun:
1. …
2. …
3. …

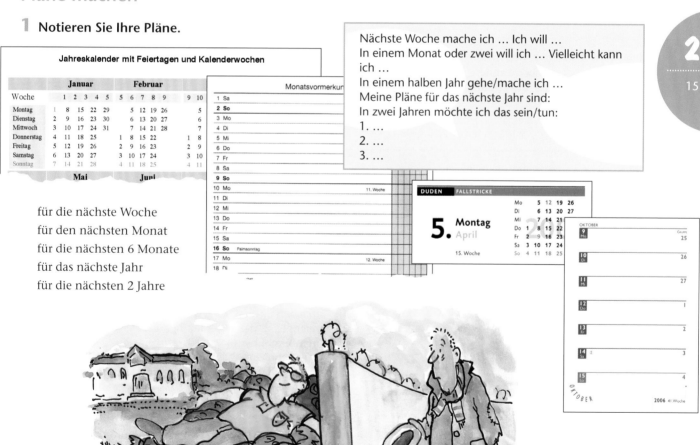

für die nächste Woche
für den nächsten Monat
für die nächsten 6 Monate
für das nächste Jahr
für die nächsten 2 Jahre

2

15

Arbeitsverhältnisse

1. _____

Für viele Berufe braucht man in Deutschland eine Ausbildung (Lehre). Sie dauert meistens 3 Jahre. Für die meisten Stellen braucht man mindestens einen Haupt- oder Realschulabschluss. Für manche Ausbildungen braucht man das Abitur.

2. _____

Nur etwa 11 % aller erwerbstätigen Deutschen sind selbstständig. Das heißt, sie bieten ihre Arbeit an und bekommen pro Auftrag Geld oder haben ein eigenes Geschäft. Versicherungen (Krankenversicherung, Altersversicherung, …) müssen sie dann selbst bezahlen.

3. _____

Man bekommt keinen richtigen Lohn für die Arbeit, aber ein bisschen Geld und das „Arbeitslosengeld II“. Diese Jobs sollen helfen, Menschen in normale Arbeitsverhältnisse zu bringen.

4. _____

Viele Erwerbstätige haben neben ihrem „Hauptberuf" noch einen oder mehrere andere Jobs. Normalerweise muss der Arbeitgeber des „Hauptberufs" diese Tätigkeit erlauben.

5. _____

Immer mehr Arbeitnehmer arbeiten für eine Firma, die sie an andere Firmen „ausleiht". Man hat einen festen Job, aber die Arbeitsstelle ändert sich immer wieder. Für viele Firmen sind Leiharbeiter gut, weil sie dann die Arbeit nur bezahlen müssen, wenn sie sie wirklich brauchen. Viele Menschen hoffen, dass sie durch diese Arbeit wieder einen festen Arbeitsplatz finden.

Text 1–5
Mindestlohn
Nebenjob
Berufsausbildung
Selbstständigkeit
Ein-Euro-Job
Leiharbeit/Zeitarbeit

Der Mindestlohn auf dem Bau beträgt 10 Euro 40 (Stand 9/2007).

Text 6–10
Schulabschluss
Einsatzort
abhängig Beschäftigte
Tarifvertrag
400-Euro-Job/Minijob
Praktikum

6. _____

Bei der Leiharbeit hat man einen Vertrag mit der Leiharbeitsfirma (Zeitarbeitsfirma). Diese verleiht die Arbeitskräfte an Firmen für eine bestimmte Zeit. Manchmal arbeitet man nur ein paar Tage für eine Firma an einem Ort und manchmal auch längere Zeit.

7. _____

So nennt man alle Menschen, die nicht selbstständig arbeiten und die für ihre Arbeit Lohn oder Gehalt bekommen.

8. _____

Bis zu diesem monatlichen Geldbetrag kann man arbeiten und muss keine Steuern, Sozialversicherung, Krankenversicherung oder Rentenversicherung bezahlen. Man ist dann aber auch nicht versichert. Normalerweise zahlt der Arbeitgeber eine pauschale Steuer. Im Detail gibt es viele Regeln, die man genau kennen muss.

9. _____

Man arbeitet, um Erfahrung in einem Berufsfeld zu sammeln, um in der Berufspraxis zu lernen. Meistens machen das junge Menschen während des Studiums oder gleich danach. Man bekommt wenig Geld, aber manchmal hat man die Chance, nach dieser Zeit einen Arbeitsplatz in dieser Firma zu finden. Viele Firmen benutzen diese Mitarbeiter aber einfach als billige Arbeitskräfte.

10. _____

Die Schulzeit ist in Deutschland mindestens 9 Jahre. Es gibt viele verschiedene Abschlüsse (z.B. Hauptschulabschluss, mittlere Reife, Abitur). Für eine Berufsausbildung (Lehre) braucht man mindestens einen Hauptschulabschluss.

11. _____

Die normale Arbeitszeit in den meisten Betrieben in Deutschland ist zwischen 35 und 40 Stunden. Viele Menschen arbeiten weniger.

12. _____

Wenn man eine Arbeit beginnt, dann kann der Arbeitgeber normalerweise in den ersten 4–24 Monaten innerhalb von wenigen Wochen kündigen. Danach gilt der gesetzliche und tarifliche Kündigungsschutz.

13. _____

Arbeit ohne offizielle Meldung. Der Staat bekommt keine Steuern oder Sozialabgaben. Die Leute sind meistens auch nicht versichert. Das ist verboten, aber sehr häufig.

14. _____

In Sportvereinen und in vielen anderen Bereichen arbeiten Menschen, ohne dass sie dafür Geld bekommen. Sie sind Fußballtrainer, Helfer in der Kirche oder bei sozialen Hilfsorganisationen. Manchmal bekommen sie auch etwas Geld: eine „Aufwandsentschädigung".

15. _____

Nach der Probezeit ist ein Arbeitsvertrag dann auf Dauer, wenn nichts anderes im Vertrag steht. Viele Arbeitsverträge sind aber heute nur auf Zeit, z.B. für zwei oder drei Jahre.

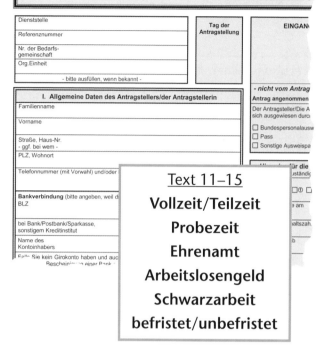

Text 11–15
Vollzeit/Teilzeit
Probezeit
Ehrenamt
Arbeitslosengeld
Schwarzarbeit
befristet/unbefristet

1 Lesen Sie die Stichwörter und die Texte 1–5, 6–10 und 11–15. Welches Stichwort passt zu welcher Erklärung? Je ein Stichwort passt nicht.

2 Lesen Sie genau und klären Sie Fragen im Kurs.

> Praktikum
>
> Ich möchte ein Praktikum machen.
> Die Firma sucht einen
>   Praktikanten / eine Praktikantin.

Berufswortschatz-Würfelspiel

Würfeln Sie zweimal: 1 → 2 ↓. Bilden Sie einen Satz mit dem Wort.

Beispiel: ⚄ + ⚄ = Gewerkschaft.

> Die Gewerkschaft vertritt die Arbeitnehmer.

	1	2	3	4	5	6
1	befristet	selbstständig	Tarifvertrag	Mindestlohn	Zeitarbeit	Arbeitnehmer/in
2	müssen	gern	Gewerkschaft	pflegen	Schwarzarbeit	putzen
3	gründen	brutto	Ausbildung	können	Praktikum	Ein-Euro-Job
4	beraten	bauen	Ehrenamt	netto	Schulabschluss	Urlaub
5	400-Euro-Job	Steuer	nicht gern	verkaufen	reparieren	Lehre
6	Arbeitgeber/in	Arbeitszeit	Versicherung	Urlaub	wollen	Arbeitsvertrag

2

18

Gesetzlich – ungesetzlich?

Elva Altun arbeitet in einem Büro. Sie ist Sekretärin. Ihre Arbeitszeit beginnt morgens zwischen 7 und 9 Uhr und endet nachmittags zwischen 16 und 19 Uhr. Laut Arbeitsvertrag arbeitet Elva 35 Stunden pro Woche. Sie hat 6 Wochen Urlaub im Jahr. Letztes Jahr hat sie noch zwei Wochen mehr Urlaub gemacht. Ihr Arbeitgeber hat das erlaubt, aber er hat ihr nichts bezahlt. Elva verdient 1554 Euro brutto. Davon zahlt sie ihre Anteile an der Sozial- und Krankenversicherung. Die Steuer wird vom Gehalt abgezogen und vom Arbeitgeber ans Finanzamt überwiesen.

Markus Müller fährt jeden Morgen um sechs Uhr zur Arbeit. Er arbeitet als Reinigungsfachkraft. Seine Arbeitszeit beginnt regelmäßig um 7 Uhr und geht bis 18 Uhr 30. Er arbeitet von 7 bis 12 Uhr. Dann hat er eine Mittagspause. Danach arbeitet er wieder von 12 Uhr 30 bis 18 Uhr 30. Markus hat sechs Wochen Urlaub pro Jahr. Aber er bekommt davon nur drei Wochen bezahlt. Manchmal muss er Überstunden machen. Dafür gibt ihm der Arbeitgeber noch etwas Geld zusätzlich, aber nicht viel. Markus verdient 5 Euro 50 pro Sunde.

1 **Lesen Sie die zwei Texte. Was meinen Sie: Welcher beschreibt ein ungesetzliches und welcher ein gesetzliches Arbeitsverhältnis? Warum?**

Arbeitsverhältnisse sind in Deutschland durch Gesetze, Tarifverträge und Vereinbarungen in den Betrieben usw. geregelt. Wichtig sind vor allem der **Arbeitsvertrag** zwischen dem **einzelnen** Arbeitnehmer und dem Arbeitgeber und auch die Verträge zwischen den **Gewerkschaften** und den **Arbeitgeberverbänden** (Tarifverträge) bzw. zwischen dem Betriebsrat eines **Betriebs** und dem **Arbeitgeber** (Betriebsvereinbarung).

BDA
BUNDESVEREINIGUNG
der Deutschen Arbeitgeberverbände

DGB

Ein Gründerporträt

Halil Aktürk war sofort von der Idee überzeugt, als Änderungsschneider in das Textilpflegegeschäft Leyla Alkivilcims an der Börsenbrücke einzusteigen.

Mit 13 hat er in Ankara die Schneiderlehre begonnen. Nachdem er früh seine Eltern verloren hatte, musste er die beiden jüngeren Geschwister versorgen und konnte nach der fünften Klasse nicht mehr zur Schule gehen. „Die Lehre bei meinem Meister war sehr hart. Ich konnte Hemden mit einer messerscharfen Falte bügeln, aber mein Patron war nie zufrieden."
1990 kam der Maßschneider nach Deutschland und baute in Berlin drei eigene Geschäfte auf. Eines am Kur-

fürstendamm, eines in Reinickendorf, das andere in Wedding, „weil da so viele türkische

Landsleute wohnen", so Aktürk. Leider lief es nicht so gut, auch nicht mit drei Filialen in Hamburg, die er ab 2000 eröffnete. Am meisten mag der Vater dreier Kinder an seiner Arbeit, wenn die Kunden zufrieden sind, Vertrauen aufbauen und zu Stammkunden werden: „Da weiß man, dass man gut gearbeitet hat.

2

19

1 Lesen Sie den Text und notieren Sie: Ausbildung, Gründeridee, Probleme, heutige Tätigkeit.

2 Selbstständig arbeiten: Sammeln Sie Vorteile, Nachteile und Risiken im Kurs.

Projekt: Geschäftsideen
Was gibt es in Ihrem Heimatland oder in anderen Ländern, was in Ihrer Region in Deutschland niemand anbietet? Oder haben Sie eine ganz neue Idee?
– Sammeln Sie Ideen.
– Überlegen Sie: Wer braucht das? Wo kann man das anbieten? Was braucht man, um die Idee zu verwirklichen? Was können Probleme sein?

Man hat keinen Chef.

Man hat große Verantwortung.

Man braucht Geld.

Produkte für den Alltag

Essen und Trinken

Kultur

Kleidung

Sprache

Handwerk

Pflege/Betreuung

Internetadressen
Google-Stichwörter: Existenzgründung/selbstständig/Geschäftsidee
www.existenzgruender.de
www.pro-qualifizierung.de
www.exzept.de
www.atu-ev.de

C

Wir suchen ab sofort **Auslieferungs-fahrer** auf 400-Euro-Basis und **Bäckerhelfer**.

Vorstellungstermin: Montag, 30.4.07 zwischen 10 und 12 Uhr, Bäckerei Knapp, Tel: 06201 992145

D

Dienstleistungsfirma sucht **Rentner mit Führerschein Klasse 3 ganztätig als Fahrer**, nur für Fahrtätig-keiten im Rhein-Neckar-Raum. Melden Sie sich ab Montag, 9.00 Uhr, unter 06221 88 49 223

E

Cafés Servicekraft 07.04	Su. nette freundl. Bedienung mit Vorkenntnissen für Sonntag. Café Nussknacker **Tel. 07941 / 9813456**

F

Jobsuche: Details   (Neue Suche)

Handwerk – Friseure

Daten

Tätigkeit:	Friseur/in; sozialversicherungspflichtige Beschäftigung
Anforderungen:	Sie sind kreativ, zielstrebig, motiviert und selbstständig arbeitend? Dann bewerben Sie sich jetzt bei uns.
Fähigkeiten/ Kenntnisse:	1. Damen- und Herren-Haarschnitte 2. Strähnentechniken, Haarefärben, Dauerwellen 3. evtl. Haarverlängerungen und Kosmetikkenntnisse
Eigenschaften:	selbstständige Arbeitsweise, Kundenorientierung, Sorgfalt
Bildungsabschluss:	nicht relevant
Arbeitsort:	Heidelberg
Rahmenkonditionen:	unbefristet; Arbeitszeit: Vollzeit; Vergütung: nach Vereinbarung
Beginn:	ab 25.04.
Kontaktaufnahme:	schriftliche Bewerbung mit Lebenslauf, Lichtbild und Zeugniskopien
Arbeitgeber:	Bernadette Brigg, Friseursalon, Blumenstraße 2, 69121 Heidelberg

1 **Welche Branchenbezeichnungen passen zu den Anzeigen?**

soziale Berufe • Handwerk • Gastronomie • Dienst-leistung • Verkauf • Transport

Google Suche: „Stellenanzeigen" + Ihre Stadt/Region, z.B. „Stellenanzeigen Regensburg"

www.arbeitsagentur.de
www.jobs.de
www.stellenanzeigen.de
www.jobscout24.de

2 **Was ist wichtig? Arbeiten Sie in Gruppen. Wählen Sie eine Anzeige aus. Klären Sie je fünf unbekannte Wörter. Sammeln Sie an der Tafel.**

3 **Beruf und Person – Ordnen Sie die Qualifikationen aus den Anzeigen in eine Tabelle.**

berufliche Qualifikationen	persönliche Voraussetzungen
Anzeige A Erfahrung im Gartenbau	Kommunikationsbereitschaft

3

21

Checkliste für Stellenanzeigen

Informationen über die Firma
Name der Firma
Branche, Tätigkeitsbereich
Standort

Informationen zum Stellenangebot
Arbeitsort
Positionsbezeichnung
Aufgabengebiet
Tätigkeitsbeschreibung
Gehaltsangabe, Tarifgruppe
Arbeitszeit
soziale Leistungen

Informationen über Sie
Schulabschluss
Berufsausbildung
Alter
Berufserfahrung (allgemein, Anzahl Jahre)
besondere Fachkenntnisse/Fähigkeiten
sonstige Kenntnisse
persönliche Eigenschaften und Merkmale
Mobilität/Führerschein
Sprachkenntnisse

Informationen zur Bewerbung
Bewerbungsunterlagen
Bewerbungsfristen
Einstellungstermin
Name der Kontaktperson
Telefon/E-Mail/Postadresse

1 Welche weiteren Informationen enthalten die Anzeigen auf Seite 21? Lesen Sie die Checkliste und machen Sie eine Tabelle.

2 Welche Informationen fehlen in den Anzeigen? Was möchten Sie noch wissen? Formulieren Sie mindestens drei Fragen zu Ihrer Anzeige.

Anzeige B: Wo ist der Arbeitsort? Wann ...

3

22

Problematische Stellenangebote

A

5 Gebiete bereits vergeben

Wir suchen für die Gebiete Mosbach, Sinsheim und Heilbronn Kurier-Franchise-Partner

Sie erhalten:
• exklusives Gebiet
• unbefristeten Franchise-Vertrag
• Mitgliedschaft im Rapid-Netzwerk

Sie brauchen:
• einen roten Transporter
• den Willen zum Erfolg

B

Warum warten?

Geschäftserfolg jetzt!
Bis zu **3500 Euro** im Nebenjob verdienen!
Keine Hausbesuche!

Rufen Sie jetzt an:
01805 – 181181*

* 2,45 Euro pro Min.

C

Großraum Bielefeld
BEAUFTRAGTE
für Gespräche mit Unternehmern

Für eine interessante Tätigkeit im selbstständigen Außendienst (kein Verkauf!) suchen wir selbstbewusste Damen und Herren mit Führerschein der Klasse B
- gründliche Einarbeitung
- Berufswiedereinsteiger willkommen
- zeitgemäße Vertragsgestaltung
- leistungsgerechte Provision

3 Lesen Sie die Anzeigen A–C. Was könnte ein Problem sein?

Fahrradkurier/in

berufliche Qualifikation

Fahrrad fahren
Verkehrsregeln kennen
die Stadt kennen
Stadtplan lesen können
gute Orientierung
...

persönliche Voraussetzugen

körperlich fit sein
gern Fahrrad fahren
freundlich
Deutsch: nach Personen/Adressen
    fragen
Wegbeschreibung verstehen
...

1 **Lesen Sie den Dialog. Was denken Sie: Wer spricht hier mit wem? Warum?**

○ Was haben Sie bisher beruflich gemacht?
● Nichts.
○ Nichts?
● Na ja, ich habe eine Ausbildung als Friseurin.
○ Und wie war Ihre Ausbildung?
● Nicht besonders interessant. Das Übliche eben.
○ Wie lange war die Ausbildung?
● Drei Jahre oder so.
○ Und da haben Sie nichts gelernt?
● Doch schon. Haare schneiden und so.
○ Sie haben also die Bereiche kennengelernt, die im
   Friseurhandwerk wichtig sind:
   waschen, schneiden, legen, färben usw.

● Ja.
○ Hatten Sie da auch eine theoretische Ausbildung?
● Na ja, Berufsschule halt.
○ Und was haben Sie da gelernt?
● Alles, was mit dem Haareschneiden zu tun hat.
○ Sonst nichts?
● Ah doch, wir hatten auch Kosmetik und Gesund-
   heitskunde und ich habe auch einen Englischkurs
   gemacht.
○ Ah, das ist interessant. Wie gut sprechen Sie
   Englisch?
● ...

2 **Wie verkauft sich der die Bewerberin? Was könnte sie besser machen? Variieren Sie den Dialog.**

3 **Was möchten Sie machen? Was können Sie? Was müssten Sie lernen? Wählen Sie einen Beruf aus und sammeln Sie Qualifikationen in einer Tabelle wie oben.**

Finden Sie Ihre Stärken heraus

Schule

Welche Schulen haben Sie besucht?
Von wann bis wann?
Welche Abschlüsse haben Sie?
Was waren Ihre Lieblingsfächer?
Was hat Sie an diesen Fächern
besonders interessiert?

Berufsausbildung

Welche Ausbildung haben Sie gemacht? Warum diese?
Welche Kenntnisse und Fähigkeiten haben Sie erworben?
Was war besonders positiv?

Universität/Fachhochschulen …

Wo haben Sie studiert und wie lange?
Was haben Sie studiert?
Was hat Ihnen besonders Spaß
gemacht?

Tätigkeiten während der Ausbildung

Haben Sie Praktika gemacht? Wo?
Wie lange?
Welche Jobs haben Sie gemacht?
Was haben Sie bei diesen Jobs gelernt?

Tätigkeiten nach der Ausbildung

Bei welcher Firma / welchen Firmen waren Sie tätig?
Welche Aufgaben hatten Sie?
Welche Situationen haben Sie gut gelöst?
Was haben Sie bei diesen Stellen zusätzlich gelernt?
Welche positiven bzw. negativen Erfahrungen haben
Sie gemacht?

Ausland

Wann, wo und wie lange haben Sie im Ausland
gearbeitet?
Welche beruflichen/persönlichen Erfahrungen haben
Sie dabei gemacht?
Was hat Ihnen gut gefallen?

Vereine und andere Organisationen

Wo sind/waren Sie sozial, kulturell, sportlich … aktiv?
Was machen Sie da / haben Sie da gemacht?
Was ist/war Ihnen daran wichtig?

Hobbys/Interessen

Welche Hobbys haben Sie? Warum gerade diese?
Hat ein Hobby Ihre Ausbildungs- oder Berufswahl
beeinflusst?
Welche beruflich evtl. nützlichen Fähigkeiten und
Erfahrungen haben Sie erworben?

Sprachen

Welche Sprache(n) können Sie?
Wie gut können Sie verstehen/lesen/sprechen/
schreiben?
Haben Sie mehr als eine Muttersprache?
Was tun Sie/haben Sie getan, um
besser Deutsch/Englisch … zu
sprechen?

1 Sie haben schon viel gelernt und gemacht. Beantworten Sie die Fragen zuerst für sich und machen Sie dann Interviews im Kurs.

Google Suche: Bewerbungstraining
www.arbeitsagentur.de
www.job-pages.de/bewerbungstraining
www.hwk-hamburg.de/ausbildung/bewerbungstraining
www.schule-inside.de/html/alrightschoolpage002.html
www.hiba-seminare.de/workshop3/jobs/
www.hwk-freiburg.de/html/seiten/text;bewerbungstraining;45,de.html

Die Bundesagentur für Arbeit gibt Broschüren zum Bewerbungstraining heraus, die als PDF-Dateien im Internet zu finden sind.

Die schriftliche Bewerbung

Eine schriftliche Bewerbung besteht meistens aus drei Teilen:

1. Das Anschreiben
Das ist der Brief, den der mögliche Arbeitgeber zuerst liest.

2. Der Lebenslauf
Im Lebenslauf führen Sie alle Stationen Ihres Lebens auf, die für die Bewerbung relevant sind. Oft möchte der Arbeitgeber dabei auch ein Foto.

3. Die Zeugnisse
Diese Dokumente zeigen, was Sie in ihrem Leben gelernt haben und wie man Ihre Arbeit bewertet hat (Schulzeugnis, Ausbildungszeugnisse, Arbeitszeugnis …).

Das Anschreiben
Dieser Brief ist sehr wichtig. Er ist die Eingangstür zu Ihrer Bewerbung. Sie möchten, dass man Sie zu einem Gespräch einlädt. In diesem Brief können Sie zeigen, dass ein Gespräch mit Ihnen sich lohnt.
Im Anschreiben müssen Sie zeigen, warum Sie die richtige Person für die Stelle sind.
Lesen Sie deshalb die Anzeige genau und zeigen Sie in Ihrem Brief, dass Sie sie genau gelesen haben.

A

Kennziffer ST311066/Bewerbung

Sehr geehrter Herr Drechsler,

mit großem Interesse habe ich Ihre Anzeige in der Nürnberger Zeitung vom 5. Juni gelesen. Ich bin 35 Jahre alt und arbeite seit 5 Jahren als Gärtner in einem kleinen Team.

Ich komme aus Serbien, lebe aber seit 6 Jahren in Deutschland. In Serbien habe ich mehrere Jahre in einer Gärtnerei gearbeitet. Meine Deutschkenntnisse habe ich durch Kurse und meinen deutschsprachigen Freundeskreis im Sportverein erworben.

Ich habe den Führerschein der Klasse B. Über ein persönliches Gespräch würde ich mich sehr freuen.

Mit freundlichen Grüßen

B

Kennziffer ST311066/Bewerbung

Sehr geehrte Damen und Herren,

ich habe Ihre Anzeige in der Nürnberger Zeitung gesehen. Die Stelle interessiert mich sehr.

Ich arbeite gern an der frischen Luft und Gartenarbeit macht mir Spaß. Ich würde mich über eine neue Stelle sehr freuen. Einen Führerschein habe ich. Ich komme gut mit Leuten klar, sagen alle meine Freunde. Ich spreche auch ziemlich gut Deutsch. Kurz gesagt: Ich bin der Richtige für die Stelle.

Über ein persönliches Gespräch mit Ihnen würde ich mich sehr freuen.

Liebe Grüße

---

1 Zu welcher Anzeige auf Seite 20–21 passen die Briefe A und B? Welcher ist besser und warum?

2 Suchen Sie sich eine Anzeige aus und schreiben Sie ein kurzes Anschreiben.

TIPP Die schriftliche Bewerbung immer von jemandem korrigieren lassen.
Wenn eine Telefonnummer in der Anzeige steht, immer zuerst anrufen oder anrufen lassen.

Persönliche Daten

Name: Ivo Batic

Anschrift: Brückenstraße 12, 90419 Nürnberg

Telefon: 0911 562984

Geburtsdatum: 30.10.1972

Staatsangehörigkeit: serbisch

Familienstand: ledig

Sprachkenntnisse: Serbisch, Deutsch (B1/B2),

                                   Englisch (A2)

Umzug nach Deutschland: April 2002

Aus- und Fortbildung

Schulabschluss 1988   Viša Politehnička Škola, Belgrad
                                   (etwa mittlerer Schulabschluss in Deutschland)

09/1988– 09/1991   Ausbildung zum Gartenbaufachmann

Berufliche Weiterbildung

05/2002–06/2006   Deutschkurse an der VHS Dortmund und Nürnberg

Beruflicher Werdegang

09/1991–04/1994   Landschaftsgärtner beim Städtischen Gartenbauamt Belgrad

05/1994–04/2002   selbstständiger Gärtner in Belgrad

06/2006   Batic & Partner Gartenpflege Nürnberg-Langwasser

Nürnberg, 10.2.2008

1 Lesen Sie den Lebenslauf.

2 Schreiben Sie Ihren Lebenslauf. Gehen Sie so vor:
1. Daten sammeln
2. Daten ordnen
3. Lebenslauf schreiben
4. Text korrigieren

3 Bewahren Sie den Lebenslauf gut auf. Sie können ihn dann später verändern und weiterverwenden.

TIPP Das Foto ist sehr wichtig. Es ist der erste Eindruck von Ihrer Person. Schicken Sie nur ein aktuelles Foto, mit dem Sie sehr zufrieden sind. Es lohnt sich, wenn Sie Geld für ein gutes Foto ausgeben.

Ein Vorstellungsgespräch

Frau Jäger möchte eine Stelle als kaufmännische Angestellte. Sie spricht mit dem Personalchef der Firma MCV-Chemie, Herrn Petry.

1 J Guten Tag.
   P Guten Tag, ich nehme an, Sie sind Frau Jäger. Nehmen Sie bitte Platz.
   J Danke.
5 P Äh, möchten Sie einen Kaffee?
   J Ja gerne, ich habe nämlich noch nicht gefrühstückt. Sie haben ja ein schönes Büro!
   P Danke, ja ... gut, Sie interessieren sich also für die Stelle als kaufmännische Angestellte? Erzählen Sie
10   doch mal, was Sie beruflich gemacht haben.
   J Eine ganze Menge. Also, angefangen habe ich in Köln. Da habe ich eine Lehre gemacht. Das war super. Aber dann haben die mich nach der Lehre nicht genommen. Und dann hab ich Bewerbungen ge-
15   schrieben und bin bei der BAG gelandet. Und was meinen Sie, da hab ich gleich nach einer Woche meinen Mann kennengelernt. Am Kopierer ...
   P Ja, gut. Und jetzt suchen Sie eine Stelle in unserer Gegend.

20 J Mein Mann hat einen super Job hier in der Gegend bekommen. Eigentlich wollte ich ja nicht gleich wieder arbeiten, aber dann war es mir zu Hause doch zu langweilig.
   P Haben Sie denn Fragen zu der Stelle?
25 J Ja, allerdings. In der Anzeige stand ja nicht so viel. Wie ist das mit den Arbeitszeiten und mit dem Urlaub?
   P 35 Stunden die Woche und 30 Tage Urlaub im Jahr. Überstunden werden durch Freizeit ausgeglichen.
30 J Klingt gut.
   P Lassen Sie uns zum Schluss über das Geld sprechen. Welche Vorstellungen haben Sie?
   J Bei BAG habe ich zum Schluss 2000 Euro verdient. Ich denke, dass 2500 bis 3000 für den Anfang in
35   Ordnung wären.
   P Na gut, das werden wir noch sehen. Wir melden uns dann bei Ihnen, Frau Jäger.

1 Lesen Sie das Gespräch. Schauen Sie das Bild an. Was macht Frau Jäger falsch?

2 Ordnen Sie die Beschreibungen 1–4 dem Dialog zu.

1. Der Personalchef und die Bewerberin klären Finanzfragen und weitere Kontakte.
2. Gespräch über die neue Stelle: Die Bewerberin informiert sich über die Stelle.
3. Gespräch über die bisherige Berufstätigkeit der Bewerberin.
4. Die Personalchef macht sich ein erstes Bild von der Bewerberin.

3 Schreiben Sie die Äußerungen von Frau Jäger neu. Spielen Sie den Dialog.

4 Sammeln Sie Redemittel für Bewerbungsgespräche.

> **Begrüßung/Vorstellung**
> Guten Tag, Herr/Frau ...
> Mein Name ist ...
>
> **Über Berufserfahrung berichten**
> Ich habe ... gemacht. Dann ... danach ...
> Von ... bis ... war ich ...

TIPP Sammeln Sie Wörter, die zu der Arbeitsstelle gehören, die Sie haben möchten. Machen Sie eine Wörterkartei mit Ihrem persönlichen Berufswortschatz.

Kollegen

1. **Erstellen Sie zwei Listen:**
   a) Welche Arbeiten erledigen Sie gerne alleine?
   b) Bei welchen Tätigkeiten arbeitet man besser mit anderen zusammen?

Alleine:	Mit anderen zusammen:
etwas schreiben	eine Wohnung renovieren
Wäsche waschen	einen Umzug machen

> Beim Schreiben muss ich mich konzentrieren, da bin ich lieber alleine.

> Manche Arbeiten kann man gar nicht alleine erledigen, z.B. …

2. **Sprechen Sie im Kurs: Warum machen Sie manche Arbeiten lieber alleine? Warum machen Sie andere Arbeiten lieber mit anderen zusammen?**

3. **Suchen Sie sich oben ein Bild aus und beschreiben Sie die Situation:**
   – Welche Aufgaben haben die Personen?
   – Kann eine Person alleine die Aufgabe erledigen?
   – Welche Vorteile sehen Sie, wenn mehrere Personen die Aufgabe erledigen?
   – Welche Nachteile sehen Sie, wenn mehrere Personen gemeinsam eine Aufgabe erledigen?

Arbeiten mit Kollegen

Klaus Krakow:
„Ich arbeite in einer Firma mit fast 40 Leuten. Aber ich sehe meine Kollegen selten. Manchmal treffe ich morgens ein paar Kollegen und Kolleginnen beim Chef, wenn wir die Aufträge erhalten. Dann bin ich oft zwei Tage oder länger unterwegs."

Ludwig Ritter:
„Ich arbeite in einer Fabrikhalle mit Maschinen. Meine Firma hat ungefähr 400 Mitarbeiter. In meiner Abteilung sind wir 17 Personen."

Metin Gür:
„Ich arbeite meistens mit zwei bis drei Kollegen in verschiedenen Privatwohnungen. Meine Firma hat 8 Angestellte."

Katharina Korsavina:
„Ich arbeite in einer Firma mit etwa 80 Angestellten. Ich sitze im Büro und bearbeite die Bestellungen von Kunden. In meiner Abteilung sind wir fünf Kolleginnen.

Karin Staube:
„Ich arbeite in der Filiale einer Firma. Die Firma hat in Deutschland über 25.000 Mitarbeiter. In meiner Filiale sind wir 12 Leute."

Anna Luca:
„Ich arbeite regelmäßig in einem Krankenhaus, aber ich werde von einer anderen Firma bezahlt. Von dieser Firma treffe ich etwa fünf Kolleginnen regelmäßig jeden Tag im Krankenhaus."

4

29

Beruf	Firma
Lastwagenfahrer/in	Handwerksbetrieb
Elektroinstallateur/in	Spedition
Produktionshelfer/in	Reinigungsfirma
Putzfrau/-mann	Versandhaus
Kassierer/in	Produktionsbetrieb
Bürokauffrau/-mann	Supermarktkette

1 Vermutungen – Welchen Beruf haben die Personen? In was für einem Betrieb arbeiten sie?

> Ludwig Ritter ist Produktionshelfer in einem Produktionsbetrieb.

2 Welche Arbeiten müssen die Personen mit Kollegen gemeinsam erledigen?
Worüber müssen die Personen mit den Kollegen reden?

> Ludwig Ritter muss die Kollegen informieren, wenn die Maschine nicht richtig läuft.

3 Berichten Sie im Kurs: Arbeiten Sie jetzt mit Kollegen zusammen? Wie viele sind es? Bei welchen Arbeiten haben Sie mit Kollegen zusammengearbeitet?

Teamarbeit

In vielen Betrieben ist die Arbeit in Teams heute sehr wichtig.

Ein Team ist eine Gruppe von Kollegen, die gemeinsam eine Aufgabe erledigen sollen. Dafür müssen Planungen besprochen und Absprachen getroffen werden. Alle Teammitglieder sollen ihre besonderen Fähigkeiten und Fertigkeiten einsetzen, um eine Aufgabe erfolgreich zu erfüllen.

Bei der Teamarbeit gibt es oft auch Probleme. Hier einige Gründe:
– Es gibt nicht genug Zeit, um die Planungen zu besprechen und Absprachen zu treffen.
– Die Kollegen/Kolleginnen im Team passen nicht zu einander oder mögen sich nicht.
– Einzelne Mitglieder des Teams sind egoistisch und achten nur auf ihre eigenen Vorteile.
– Die Verständigung ist schwierig: Es gibt oft Missverständnisse, die berichtigt werden müssen.
– Die Aufgabenverteilung ist nicht geklärt.
– ...

Wenn ich die anderen kleinmache, bin ich groß.

Bis dahin kann man das nicht schaffen.

Ich sage lieber nicht, was ich weiß.

Hauptsache, mir geht es gut.

Die sind mir alle zu dumm.

Und was soll ich machen?

1 Unterstreichen Sie die folgenden Begriffe im Text oben und ergänzen Sie die Verben, die mit ihnen verbunden sind.

1. Absprachen
2. Aufgaben
3. Aufgabenverteilung
4. Fähigkeiten
5. Fertigkeiten
6. Missverständnisse
7. Planungen
8. Verständigung

Absprachen treffen

2 Lesen Sie die Gedanken von Teammitgliedern oben. Welche Probleme der Teamarbeit sprechen sie an?

Teamsitzung

Eine Teamsitzung hat meistens drei Phasen:

Die Anfangsphase

Jeder berichtet kurz, was er oder sie gerade bearbeitet und was ihm oder ihr dabei wichtig ist, was Probleme bereitet. Die Tagesordnung wird festgelegt oder wegen aktueller Probleme geändert.

Die Diskussionsphase

Die Gruppe diskutiert die Fragen, die besprochen werden sollen. Dabei wird bei jedem Thema kurz zusammengefasst:
– Was ist der Grund für die Bearbeitung des Themas?
– Über welche Informationen verfügen wir bereits?
– Welche Vorarbeiten und Vorentscheidungen bestehen?

Dann werden Ideen gesammelt und bewertet und schließlich Entscheidungen getroffen.

Die Schlussphase

Die Entscheidungen werden festgehalten (Protokoll):
– Was muss bis wann getan werden?
– Wer ist verantwortlich?
– Wer ist an der Arbeit beteiligt?

Das nächste Treffen wird verabredet:
Wann? Welche Themen sollen besprochen werden?

Wie verabredet, findet unsere nächste

Teamsitzung

am 25. Juni von 10:00 bis 12:30

statt. Raum: Kantine

Tagesordnung
TOP 1   Protokoll der letzten Sitzung
TOP 2   Informationen der Geschäftsleitung
TOP 3   Sicherheitsschulungen
TOP 4   Schichtpläne Juli
TOP 5   Urlaubsplanung Sommer
TOP 6   Verabredungen: Wer, was, bis wann?

4

31

1 Ordnen Sie die Punkte der Tagesordnung den drei Phasen von Teamsitzungen zu.

2 Finden Sie für jeden Punkt auf der Tagesordnung eine Einleitung.

> So, jetzt sind wir wohl vollzählig und können beginnen.

 Projekt: Bereiten Sie eine „Teamsitzung" für Ihren Kurs vor: Welche Themen wollen Sie besprechen? Wann? Wo? Schreiben Sie eine Tagesordnung.

Themen: Hausaufgaben, Ausflug

Probleme im Team

Seit mehreren Monaten muss eine Schleifmaschine mindestens einmal pro Woche vom Schichtleiter neu eingestellt werden. An der Anlage wird in drei Schichten gearbeitet. Welcher der drei Schichtleiter ist zuständig?

Alle zwei Wochen finden Teamsitzungen statt. Dafür müssen Tagesordnungen abgesprochen werden und anschließend Protokolle geschrieben werden, aber niemand will das Protokoll schreiben.

Bei der Urlaubsplanung im Team haben alle Mitarbeiter mit Kindern Vorrang, wenn sie in den Schulferien Urlaub nehmen wollen. Ein Kollege hat keine Kinder, er möchte aber endlich mal mit seiner Frau zusammen Urlaub machen. In ihrer Firma gibt es Betriebsferien in den Schulferien.

Seit vier Wochen gibt es neue Vorschriften für die Gabelstaplerfahrer. Bisher haben diese Regeln aber nur einige Fahrer erhalten.

Nach dem Putzen im Krankenhaus müssen die Putzfrauen aufschreiben, wo sie wie lange geputzt haben. Das Aufschreiben dauert oft mehr als 15 Minuten.

Die Firma hat einen großen Auftrag erhalten. Jetzt sollen alle Mitarbeiter auch an den Samstagen arbeiten.

In einem Supermarkt sind drei Kolleginnen krank. Die anderen fünf Kollegen sollen nun auch deren Arbeit übernehmen.

Auf Probleme hinweisen
Wir haben Schwierigkeiten mit …
Keiner hält sich an …
Ich finde problematisch, dass …
Wir verlieren viel Zeit mit …
… ist ständig defekt.
… ist schlecht organisiert.

Einen Vorschlag machen
Ich schlage vor, dass wir …
Wir sollten …
Ich finde, wir müssen ….
Was haltet ihr davon, wenn wir …
Wir könnten doch …

Einem Vorschlag zustimmen
Das finde ich auch.
Das ist eine gute Idee.
Du hast recht.
Damit bin ich einverstanden
Ich unterstütze diesen Vorschlag.

Einen Vorschlag ablehnen
Das finde ich nicht so gut.
Ich bin dagegen.
Das haben wir doch immer schon so gemacht.
Gibt es nicht noch eine andere Möglichkeit /
    einen anderen Vorschlag?

In einer Teambesprechung redet immer der gleiche Kollege. Er lässt die anderen nicht ausreden und geht nicht auf ihre Vorschläge ein.

Eigentlich muss jeder Mitarbeiter seinen Arbeitsplatz immer sauber an den nächsten Kollegen übergeben. In einer Abteilung ist der Arbeitsplatz aber immer unaufgeräumt.

1 **Arbeiten Sie in Gruppen. Wählen Sie ein Problem oben aus und bereiten Sie eine Diskussion im Kurs darüber vor.**
   – Wer soll das Problem beschreiben?
   – Wem werden Sie das Problem beschreiben?
   – Welche Vorschläge zur Verbesserung haben Sie?

 Projekt: Erstellen Sie eine Liste mit den Problemen bei der Teamarbeit. Machen Sie Vorschläge, was man ändern kann. Diskutieren Sie die Vorschläge im Kurs.

Duzen oder Siezen

1. ● Darf ich mich vorstellen: Hiller.
   ○ Angenehm. Devandra.

2. ● Tag, Herr Weissmann. Wir haben uns ja schon lange nicht mehr gesehen.
   ○ Und wie geht es Ihnen?

3. ● Hallo.
   ○ Hi.

4. ● Guten Tag, Herr Jörges.
   ○ Guten Tag, Herr Reimann.

5. ● Du? Anne? Das ist ja ein Ding.
   ○ Mensch, Gabi, schön dich zu sehen.

4

33

1 Welche Begrüßung (1–5) passt zu welcher Zeichnung A–E oben?

2 Wen duzen Sie? Wen siezen Sie?
Welche Regeln für die Anrede mit „du" und mit „Sie" kennen Sie?
Denken Sie z.B. an: Mann – Frau, jung – alt, Vorgesetzter – Kollege, Familienmitglied – Freund – Nachbar …

3 Wer darf wem das Du anbieten?

4 Wie können Sie sich wehren, wenn man Sie unaufgefordert duzt?

Smalltalk

Dialog 1

A

_1_ Na, das ist ja wieder ein Stress heute.

_____ Du hast eine Schwester?

_____ Ihr wart zu fünft?

_____ Ja, zwei Schwestern. Ich war der Jüngste.

_____ Was war denn los?

B

_____ Na ja, meine Schwester hatte Geburtstag und da haben wir mit ihr ein bisschen gefeiert.

_____ Finde ich auch. Und gestern bin ich erst sehr spät ins Bett gekommen.

_____ Na, da hattest du es ja nicht gerade leicht.

_____ Eine? Ich habe zwei Schwestern und zwei Brüder.

_____ Ja, wieso? Und du? Hast du Geschwister?

Dialog 2

A

_1_ Und, wie war dein Wochenende?

_____ Ich find's ganz in Ordnung. Und teuer ist es auch nicht.

_____ Na in dem in der Königsstraße.

_____ Gewitter? Nee, bei uns war kein Gewitter. Nur ab und zu mal bewölkt.

_____ Wieso? War doch ganz o.k. Wir waren am Sonntag sogar im Schwimmbad.

B

_____ Sollte ich mir mal angucken.

_____ Da war doch das Gewitter.

_____ Bei dem Wetter? Was soll man da schon groß machen?

_____ Das kenn ich gar nicht. Kann man da hingehen?

_____ Also bei uns hat es ganz schön geblitzt und gedonnert. In welchem Schwimmbad wart ihr denn?

Dialog 3

A

_1_ Hast du schon gehört? Am nächsten Mittwoch ist der Betriebsausflug.

_____ Ja, schon. Aber manche Kollegen gehen mir doch ganz schön auf die Nerven.

_____ Ich glaube für alle, wie immer. Ich weiß auch noch gar nicht, ob ich mitkomme.

_____ Weiß ich auch noch nicht genau. Aber wir werden noch informiert.

B

_____ Mm, ich denke wohl an die gleichen Kollegen wie du.

_____ Ist das nur für unsere Abteilung oder für alle?

_____ Tatsächlich? Wo soll es denn hingehen?

_____ Wieso? Ist doch auf jeden Fall besser als arbeiten.

1 Wählen Sie einen der drei Dialoge aus und ordnen sie ihn. Überlegen Sie: Wie gut kennen sich die Kollegen? Woran merken Sie das? Lesen Sie den Dialog im Kurs vor.

2 Worüber spricht man in den Pausen? Sammeln Sie Themen im Kurs.

über die Freizeit   über das Essen   …

3 Sammeln Sie Einleitungen für solche Gespräche mit Kollegen:

| Hast du schon gehört? |
| ... |

Schwierige Kollegen

A
Mich regt ein Kollege auf, der sich immer Werkzeug bei mir ausleiht und es dann nicht zurückbringt. Oder er bringt es total verdreckt zurück.

B
Einer meiner Kollegen redet nie mit uns: Er hört sich immer nur an, was wir sagen, aber wir wissen nicht, was er dazu denkt.

D
Mich regt ein Kollege auf, der immer alles notiert, was man sagt.

C
Mich nervt eine Kollegin, die den ganzen Tag nur rumstöhnt: „Ach, es ist ja alles so schwer." und es geht ihr gar nicht gut. Nach einer Woche Zusammenarbeit mit ihr kannte ich ihre ganze Krankheitsgeschichte.

E
Seit einiger Zeit bin ich sehr verunsichert: Immer wenn ich in den Pausenraum komme, hören die Kollegen auf zu sprechen. Ich fühle mich sehr abgelehnt.

F
Ich ärgere mich über einen Kollegen, der immer so dumme Sprüche über mein Aussehen macht: „Du siehst heute aber sexy aus." und Ähnliches.

G
Ich bin stocksauer, wenn die Kollegen abfällig über Ausländer reden, obwohl ich dabei bin.

H
Eine Kollegin von mir weiß immer alles besser als alle anderen. Andauernd will sie uns Vorschriften machen: „So ist das nicht richtig, ihr müsst erst …"

Ratgeber für den Umgang mit schwierigen Kollegen
1 Suchen Sie Erklärungen für das Verhalten der schwierigen Kollegen:
   Haben Sie ihn oder sie schlecht behandelt?
2 Reden Sie mit anderen über ihre Wahrnehmungen:
   Haben die anderen einen ähnlichen Eindruck?
3 Sprechen Sie mit dem Kollegen oder der Kollegin direkt über das Problem.
4 Vermeiden Sie einen engeren Kontakt mit den schwierigen Kollegen.

1 Was empfehlen Sie den Personen, die sich über die Kollegen ärgern?
Suchen Sie sich oben einen schwierigen Kollegen aus und bereiten Sie ein Gespräch vor: Mit wem wollen Sie zuerst reden? Wie beginnen Sie?

2 Haben Sie sich auch schon mal über Kollegen geärgert? Warum?
Haben Sie versucht, mit den Kollegen zu reden? Was haben Sie Ihnen gesagt?

Rechte und Pflichten am Arbeitsplatz

Arbeitsvertrag

Zwischen _der Firma MarsMedia Elektronik_ (Arbeitgeber) und
Frau/Herrn ___Nicole Ketelaars___ (Arbeitnehmer/in) wird
folgender Arbeitsvertrag vereinbart:

§ 1 _____
Das Arbeitsverhältnis beginnt am _01.01.2008._

§ 2 _____
Als Probezeit werden __6__ Monate vereinbart. Während der
Probezeit kann das Arbeitsverhältnis von beiden Seiten unter
Einhaltung einer Frist von __2__ Wochen gekündigt werden.

§ 3 _____
Der/Die Arbeitnehmer/in __Nicole Ketelaars__ wird als
__Fachverkäuferin__ eingestellt. Er/Sie ist verpflichtet, auch
andere zumutbare Arbeiten auszuführen, die seinen/ihren
Vorkenntnissen entsprechen.

§ 4 _____
Die monatliche Bruttovergütung beträgt _1250,–_ €.
Die Vergütung wird jeweils am Ende eines Monats gezahlt.

§ 5 _____
Die regelmäßige Arbeitszeit beträgt wöchentlich __37__ Stunden
ohne die Berücksichtigung von Pausen.

§ 6 _____
Der/Die Arbeitnehmer/in hat Anspruch auf __25__ Arbeitstage
Urlaub. Die Festlegung des Urlaubs ist mit dem Arbeitgeber
abzustimmen.

> Wie lange ist meine Probezeit?

> Wie viele Tage habe ich Urlaub?

> Darf ich neben meiner Arbeit noch einen anderen Job haben?

Arbeitszeit – Arbeitsverträge

1 **Welche Überschrift passt?**

§ 1 _____

§ 2 _____

§ 3 _____

§ 4 _____

§ 5 _____

§ 6 _____

Tätigkeit / Urlaub / Probezeit / Vergütung / Arbeitszeit / Beginn des Arbeitsverhältnisses

2 Überlegen Sie sich noch weitere Fragen, die
Sie haben, wenn Sie eine Arbeit anfangen.

Der Arbeitsvertrag

Der Arbeitsvertrag regelt die __3__ und ____ zwischen ____ und ____. Hier steht zum Beispiel, wie viel der Arbeitnehmer verdient, wie viele Stunden er wöchentlich arbeitet usw.

Das Arbeitsverhältnis muss sich im Rahmen der ____ bewegen.

Gibt es für die Branche einen ____, so gelten die Regelungen des Tarifvertrags. Gibt es eine ____, d.h. eine Absprache zwischen Betriebsrat und Arbeitgeber, so gelten die Regelungen der Betriebsvereinbarung. Aber auch diese Informationen stehen im Arbeitsvertrag.

1. Gesetze
2. Tarifvertrag
3. Rechte
4. Arbeitnehmer
5. Betriebsvereinbarung
6. Arbeitgeber
7. Pflichten

Der Arbeitsvertrag für Arbeiter und Angestellte enthält Vereinbarungen über:	So steht es im Arbeitsvertrag:
1. Beginn des Arbeitsverhältnisses	A Der _Arbeitnehmer (6+14)_ wird mit Wirkung vom ... eingestellt.
2. Probezeit	B Die ersten ... Monate des Anstellungsverhältnisses gelten als _____ .
3. Tätigkeit	C Der Arbeitnehmer wird als ... eingestellt.
4. _____	D Die monatliche Bruttovergütung beträgt ... €.
5. Arbeitszeit	E Die reguläre _____ beträgt wöchentlich ... Stunden ohne die Berücksichtigung von Pausen.
6. Überstunden	F Der Arbeitgeber kann _____ anordnen.
7. Erholungsurlaub	G Der Arbeitnehmer erhält einen _____ von ... Arbeitstagen im Kalenderjahr.
8. Krankheit	H Der Arbeitnehmer ist verpflichtet, dem Arbeitgeber Erkrankungen unverzüglich mitzuteilen. Er muss spätestens am dritten _____ (Werktag) eine ärztliche Bescheinigung vorlegen.
9. Nebentätigkeit	I Während der Dauer der Beschäftigung ist jede Nebentätigkeit untersagt.
10. _____	J Der Arbeitnehmer verpflichtet sich, über alle betrieblichen Angelegenheiten Stillschweigen zu bewahren.
11. Kündigung	K Nach Ablauf der Probezeit ist eine Kündigung nur unter Einhaltung einer Frist von ... Wochen/Monaten zulässig.

5

37

1 Bitte setzen Sie die Schlüsselwörter oben rechts an die richtige Stelle im Text oben links.

2 Wenn Sie die passenden Wörter zusammensetzen, können Sie die fehlenden Wörter in A–K und im Arbeitsvertrag einfüllen.

1 tag   2 Arbeits-   3 Krankheits-   4 zeit
5 Erholungs-   6 Arbeit-   7 zeit   8 Über-   9 Probe-
10 Verschwiegenheits-   11 stunden   12 pflicht
13 urlaub   14 nehmer   15 vergütung   16 Arbeits-

3 Wie fragen Sie danach? Formulieren Sie nun die Fragen zu den Informationen.

- Wann fange ich an? Wann beginnt mein Arbeitsvertrag? Ab wann kann ich arbeiten?
- Wie lange ...?

4 Erstellen Sie gemeinsam im Kurs einen „Traumarbeitsvertrag".

Arbeitnehmer und Arbeitgeber haben Rechte und Pflichten

Ein Arbeitsverhältnis beruht auf Gegenseitigkeit. Welche Einschränkungen muss sich ein Arbeitnehmer gefallen lassen? Welche Freiheiten hat er an seinem Arbeitsplatz?

	Ja, ich vermute, dass das stimmt.	Nein, ich glaube nicht, dass das stimmt.	
„Auf der Arbeit nur herumsitzen und Däumchen drehen? Das muss ich mir nicht gefallen lassen."	◯	◯	Der Arbeitnehmer hat einen Anspruch auf Beschäftigung. Der Arbeitgeber muss ihm Arbeit geben – nur dann nicht, wenn er nicht kann, weil er z.B. keine Aufträge hat.
„Ich darf auch am Arbeitsplatz meine Meinung sagen."	◯	◯	Der Arbeitnehmer darf natürlich auch am Arbeitsplatz seine Meinung sagen. Meinungsäußerungen, die den Betriebsfrieden ernsthaft in Gefahr bringen (z.B. Verteilung von politischem Propagandamaterial im Betrieb) sind nicht erlaubt.
„Der Arbeitgeber muss alle Mitarbeiter gleich behandeln."	◯	◯	Der Arbeitgeber muss seine Mitarbeiter gleich behandeln. Er muss z.B. allen Arbeitnehmern Urlaubsgeld zahlen.
„Ich kann die Arbeit verweigern, wenn sie gegen mein Gewissen geht."	◯	◯	Der Arbeitgeber darf dem Beschäftigten keine Arbeit zuweisen, die diesen in einen Gewissenskonflikt bringt.
„Ich habe ein Recht darauf, zu wissen, was in meiner Personalakte steht."	◯	◯	Der Arbeitnehmer hat das Recht, seine Personalakte zu lesen. Er darf auch zum Inhalt der Personalakte Erklärungen abgeben. Diese müssen in die Akte gelegt werden.
„Ich darf selbst bestimmen, welche Kleidung und welchen Schmuck ich bei der Arbeit trage."	◯	◯	Grundsätzlich darf jeder über seine Kleidung, seine Frisur und seinen Schmuck selbst bestimmen. Es gibt aber viele Ausnahmen, z.B., wenn der Arbeitnehmer eine einheitliche Dienstbekleidung tragen muss (wie im Hotelgewerbe oder in der Luftfahrt).
„Ich bin doch nicht der Spielball meines Chefs. Ich habe ein Recht auf Information."	◯	◯	Nach dem Gesetz soll niemand ein „Spielball" des Arbeitgebers sein. Der Arbeitnehmer hat ein Recht darauf, dass der Arbeitgeber ihn informiert, z.B. über die Art seiner Tätigkeit, über Unfall- und Gesundheitsgefahren oder über Veränderungen in seinem Bereich.
„In meiner Freizeit darf man mich nicht stören. Da kann ich machen, was ich will."	◯	◯	Jeder Arbeitnehmer hat ein Recht auf ungestörte Freizeit. Und er kann in der Freizeit machen, was er will. Aber seine Arbeit darf nicht darunter leiden (z.B. durch Alkoholgenuss).

1 Decken Sie erst einmal die rechte Spalte ab und lesen Sie die Aussagen in der linken Spalte. Überlegen Sie: Glauben Sie, dass das stimmt? Vergleichen Sie Ihre Ergebnisse im Kurs.

2 Lesen Sie nun die rechte Spalte.

3 Sehen Sie die Karikatur an. Wer ist der Arbeitnehmer? Wer ist der Arbeitgeber? Warum?

Ohne mich hätte er keine Arbeit.

Ohne unsere Arbeitskraft müsste er seinen Betrieb schließen.

Der Betriebsrat

Schon seit 1952 gibt es in Deutschland das Betriebs-verfassungsgesetz. Es sieht die Einrichtung von Be-triebsräten in allen Betrieben mit mindestens fünf Arbeitnehmern vor. Der Betriebsrat wird von den Ar-beitnehmerinnen und Arbeitnehmern gewählt und vertritt ihre Interessen. Er verhandelt mit dem Arbeit-geber über Arbeitszeit oder Arbeitsbedingungen. Außer-dem hat er bei betrieblichen Maßnahmen, etwa bei Kündigungen oder Neueinstellungen, ein Mitbestim-mungs- bzw. Anhörungsrecht.

Aus dem Leben eines Betriebsrats

Nach Jens Tönnesmann

Die Kollegen in den blauen Overalls kennen ihn alle. Wenn Betriebsrat Osman Kartal durch die Produk-tionshalle läuft, schauen die Männer von den Maschinen hoch. Sie klopfen ihm auf die Schulter oder bo-xen ihm freundlich in den Bauch. Er ist einer von ihnen. 20 Jahre stand Osman Kartal hinter den Maschi-nen. 2002 wurde er Betriebsrat.

Jeden Tag sitzt Osman Kartal ab sieben Uhr früh in seinem Büro. Der erste Kollege, der an seine Tür klopft, braucht Geld. „Das Auto ist kaputt. Und ich brauch das ja", sagt er. „Könnten die mir nicht einen Vorschuss für die Überstunden zahlen?", fragt er. „Eigentlich geht das nicht, aber ich werde mal mit der Personalabteilung reden", sagt Kartal. Später kommt ein anderer Kollege vorbei. „Mein Vorgesetzter hat mich einfach in ein anderes Team versetzt", sagt er. „Das kann er ohne Weiteres machen - für maximal vier Wochen", erklärt Kartal, „aber ich spreche mal mit deinem Vorgesetzen." Der Dritte, der anklopft, will den Betrieb verlassen und hofft auf eine Abfindung. Kartal: „Da muss ich mit der Personalabteilung verhandeln. Vielleicht klappt das dann."

Ohne mich gäbe es keine Mitbestimmung!

1 Was wollen die Kollegen von Osman Kartal?

Kollege 1 _____

Kollege 2 _____

Kollege 3 _____

 Projekt: Finden Sie heraus, welche Aufgaben der Betriebsrat hat. Sie können einen Betriebsrat fra-gen oder auch im Internet suchen, z.B. unter www.brwahl.com

Sie fragen … Experten antworten!

Darf ich am Arbeitsplatz …?

Muss ich bei der Arbeit …?

Was tue ich, wenn mein Chef …?

③ Mein Arbeitgeber hat uns verboten, private Telefongespräche während der Arbeitszeit zu führen und privat ins Internet zu gehen. Er will zur Sicherheit alle Telefonnummern speichern und kontrollieren. Darf der das eigentlich?

② Ich bin Moslem und möchte morgens auf der Arbeit beten. Mein Arbeitgeber lehnt das ab. Er sagt, bei ihm arbeiten 150 Moslems. Wenn jeder 3 Minuten betet, entsteht ein großer wirtschaftlicher Schaden. Habe ich kein Recht, am Arbeitsplatz zu beten?

① Jahrelang konnte ich an meinem Arbeitsplatz rauchen. Jetzt ist es verboten. Ist das richtig?

④ Ist es verboten, am Arbeitsplatz Alkohol zu trinken? Ich hab nur einen kleinen Schluck mit den Kollegen getrunken, aber mein Chef hat mich nach Hause geschickt.

⑤ Mein Arbeitgeber sagt, es verschwindet zu viel Werkzeug. Jetzt müssen wir unsere Werkzeugtaschen beim Verlassen des Betriebs öffnen. Mein Kollege hat sich geweigert – und hat eine fristlose Kündigung wegen Diebstahls bekommen.

C Der Schutz vor dem passiven Rauchen am Arbeitsplatz ist gesetzlich verankert. Zu 100 % davor geschützt sind schwangere Frauen – ihr Arbeitsplatz muss absolut rauchfrei sein. An allen anderen Arbeitsplätzen ist Rauchen dann gestattet, wenn die Räume gut belüftet sind.

E Die Glaubensfreiheit und das Recht auf ungestörte Religionsausübung sind in Deutschland nach dem Grundgesetz geschützt. Das gilt auch im Verhältnis Arbeitgeber/Arbeitnehmer. Der Arbeitgeber muss – soweit es betrieblich möglich ist – das Beten erlauben.

A Arbeitsrechtlich gibt es kein absolutes Alkoholverbot. Damit kann jeder Mitarbeiter bei der Arbeit Alkohol trinken. Ein betrunkener Kollege ist aber eine Gefahr für sich und andere. Der Arbeitgeber muss zum Schutz aller einen betrunkenen Mitarbeiter bitten, den Arbeitsplatz zu verlassen.

B Die Regelung von Privatgesprächen am Arbeitsplatz ist von Firma zu Firma unterschiedlich. Generell hat kein Arbeitnehmer ein Recht, während der bezahlten Arbeitszeit über die Telefone des Arbeitgebers private Gespräche zu führen oder privat ins Internet zu gehen. In manchen Betrieben können die Arbeitnehmer Ortsgespräche während der Arbeitszeit führen, nicht aber Ferngespräche.

D Der Arbeitgeber darf bestimmen, dass der Pförtner alle Personen, die das Betriebsgelände betreten oder verlassen, überprüft. Sind sie Besucher? Gehören sie zum Betrieb? Für Taschenuntersuchungen braucht der Arbeitgeber aber die Einwilligung des Betriebsrats. Ohne Betriebsrat geht es nur bei dringendem Tatverdacht.

Haben Sie arbeitsrechtliche Fragen?
Ganz wichtig: Informieren Sie sich. Fragen Sie den Betriebsrat oder wenden Sie sich an Ihre Gewerkschaft.

1 Sammeln Sie im Kurs Fragen zu Rechten und Pflichten am Arbeitsplatz.

2 Lesen Sie zuerst die Fragen 1–5 und dann die Antworten A–E. Was passt zusammen?

… gekündigt!

Es gibt im Arbeitsrecht die ordentliche und die außerordentliche Kündigung.

Die ordentliche Kündigung beendet das Arbeitsverhältnis fristgerecht, d.h. mit Ablauf der Kündigungsfrist.

Für **die außerordentliche Kündigung** muss ein triftiger Grund vorliegen. Die außerordentliche Kündigung ist meistens fristlos.

Wenn der Arbeitnehmer z.B. gestohlen hat oder sich mit Kollegen geprügelt hat, dann kann der Arbeitgeber ihm fristlos kündigen. Aber auch sexuelle Belästigung und ausländerfeindliche Äußerungen können zur außerordentlichen Kündigung führen.
Der Arbeitnehmer hat Grund für eine außerordentliche Kündigung, wenn der Lohn über längere Zeit ausbleibt, die Kollegen mobben oder wenn er ständig Aufgaben erledigen muss, die nicht im Arbeitsvertrag stehen.

Kündigungsfrist
Für die ordentliche Kündigung gilt eine Frist von vier Wochen zum 15. oder zum Ende eines Kalendermonats.
In einzelnen Arbeitsverträgen oder in Tarifverträgen sind oft andere Kündigungsfristen vereinbart. Häufig ist eine Kündigungsfrist von 6 Wochen zum Quartalsende.

Peter Schneider PS
Technische Handelsgesellschaft m.b.H.

Herrn Manfred Modell

Kündigung

Sehr geehrter Herr Modell,
hiermit kündigen wir das Arbeitsverhältnis mit Ihnen ordentlich zum 30.9. dieses Jahres.
Die Kündigung erfolgt aus betrieblichen Gründen.
Der Betriebsrat hat der Kündigung widersprochen; seine Stellungnahme ist beigefügt.
Sie werden darauf hingewiesen, dass Sie sich unverzüglich nach Erhalt dieser Kündigung bei der Agentur für Arbeit zu melden haben, da Ihnen andernfalls im Falle der Säumnis eine Minderung des Arbeitslosengeldes droht.

Mit freundlichen Grüßen
Peter Schneider

Jahreskalender mit Feiertagen und Kalenderwochen

Woche	Januar	Februar	März	April
	1 2 3 4 5	5 6 7 8 9	9 10 11 12 13	13 14 15 16 17
Montag	1 8 15 22 29	5 12 19 26	5 12 19 26	2 9 16 23 30
Dienstag	2 9 16 23 30	6 13 20 27	6 13 20 27	3 10 17 24
Mittwoch	3 10 17 24 31	7 14 21 28	7 14 21 28	4 11 18 25
Donnerstag	4 11 18 25	1 8 15 22	1 8 15 22 29	5 12 19 26
Freitag	5 12 19 26	2 9 16 23	2 9 16 23 30	6 13 20 27
Samstag	6 13 20 27	3 10 17 24	3 10 17 24 31	7 14 21 28
Sonntag	7 14 21 28	4 11 18 25	4 11 18 25	1 8 15 22 29

Woche	Mai	Juni	Juli	August
	18 19 20 21 22	22 23 24 25 26	26 27 28 29 30 31	31 32 33 34 35
Montag	7 14 21 28	4 11 18 25	2 9 16 23 30	6 13 20 27
Dienstag	1 8 15 22 29	5 12 19 26	3 10 17 24 31	7 14 21 28
Mittwoch	2 9 16 23 30	6 13 20 27	4 11 18 25	1 8 15 22 29
Donnerstag	3 10 17 24 31	7 14 21 28	5 12 19 26	2 9 16 23 30
Freitag	4 11 18 25	1 8 15 22 29	6 13 20 27	3 10 17 24 31
Samstag	5 12 19 26	2 9 16 23 30	7 14 21 28	4 11 18 25
Sonntag	6 13 20 27	3 10 17 24	1 8 15 22 29	5 12 19 26

Woche	September	Oktober	November	Dezember
	35 36 37 38 39	39 40 41 42 43 44	44 45 46 47 48	48 49 50 51 52
Montag	3 10 17 24	1 8 15 22 29	5 12 19 26	3 10 17 24 31
Dienstag	4 11 18 25	2 9 16 23 30	6 13 20 27	4 11 18 25
Mittwoch	5 12 19 26	3 10 17 24 31	7 14 21 28	5 12 19 26
Donnerstag	6 13 20 27	4 11 18 25	1 8 15 22 29	6 13 20 27
Freitag	7 14 21 28	5 12 19 26	2 9 16 23 30	7 14 21 28
Samstag	1 8 15 22 29	6 13 20 27	3 10 17 24	1 8 15 22 29
Sonntag	2 9 16 23 30	7 14 21 28	4 11 18 25	2 9 16 23 30

5

41

---

1 Überlegen Sie: Welche Gründe gibt es, ein Arbeitsverhältnis zu beenden? Sammeln Sie an der Tafel.

der Arbeitgeber / die Arbeitgeberin kündigt		der Arbeitnehmer / die Arbeitnehmerin kündigt	
Der Arbeitsvertrag war befristet.	*Der Arbeitnehmer hat …*	*Sie bekommt woanders viel mehr Geld.*	*Der Arbeitgeber hat …*

2 Führen die Gründe, die Sie oben gesammelt haben, zu einer ordentlichen Kündigung (innerhalb der Kündigungsfrist) oder zu einer außerordentlichen Kündigung (fristlos)?

3 Markieren Sie in dem Kalender die Quartalsenden:

31. März, 30. Juni, 30. September und 31. Dezember.

Wann muss die Kündigung vorliegen, wenn die Kündigungsfrist 6 Wochen zum Quartalsende beträgt?

Arbeitsschutz – wozu?

Vor etwa 200 Jahren begann die Industrialisierung in Deutschland. In Fabriken und Bergwerken schufteten die Menschen – auch die Kinder. Hitze, Lärm, Staub – die Arbeit war hart und monoton. Die Menschen arbeiteten oft mehr als elf Stunden ohne eine einzige richtige Pause. Wer sich bei der Arbeit verletzte oder krank wurde, hatte Pech. Eine Krankenversicherung gab es nicht.

Erst 1839 gab es ein Gesetz zur Kinderarbeit. Knapp 50 Jahre später gab es die gesetzlichen Unfallversicherungen zum Schutz der Arbeiter und Angestellten. Und heute gibt es eine ganze Reihe von Gesetzen und Regelungen zum Arbeitsschutz.

Arbeit soll nicht krank machen. Und deshalb gibt es die staatlichen Ämter für Arbeitsschutz, die Gewerbeaufsichtsämter und die Berufsgenossenschaften. Sie überwachen die Einhaltung der Gesetze.

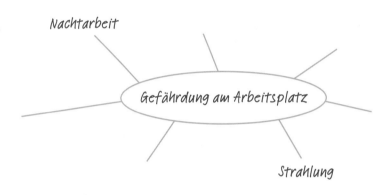

Nachtarbeit

Gefährdung am Arbeitsplatz

Strahlung

1 Sammeln Sie an der Tafel: Was kann Menschen am Arbeitsplatz krank machen?

Pausen, Ruhezeiten, Erholungszeiten

Das sagt das Gesetz:

1. Pausen
- Nach mehr als 6 Stunden Arbeitszeit muss man eine Ruhepause von einer halben Stunde machen. Zwei Pausen von je einer Viertelstunde sind auch möglich.
- Die Pausenzeit zählt nicht zur Arbeitszeit, das heißt: keine Arbeit in der Pause.
- In Betrieben mit mehr als 10 Mitarbeitern muss es einen Pausenraum geben.

2. Ruhezeiten
- Der Arbeitnehmer hat nach Beendigung der Arbeit Recht auf eine Ruhezeit von mindestens 11 Stunden – ohne Unterbrechung.
- Eine Ausnahme besteht im Verkehrs- und Gaststättengewerbe: Hier kann in einigen Bereichen die Ruhezeit auf 10 Stunden herabgesetzt werden.

Informieren Sie sich unter
www.internetratgeber-recht.de/Arbeitsrecht/
Arbeitszeitrecht/azra7.htm

2 Kennen Sie Länder, in denen es noch Kinderarbeit gibt? Berichten Sie im Kurs.

 Projekt: Fragen Sie Freunde und Bekannte: Wie sind die Pausenzeiten in deinem Betrieb geregelt? Wie ist es mit den Ruhezeiten?

Schutz für … Schutz vor …

① „Ich bin schwanger. Für werdende Mütter gibt es ein absolutes Verbot für körperlich schwere Arbeiten, für Akkordarbeit, Fließbandarbeit und Arbeiten mit gesundheitsgefährdenden Stoffen. Sechs Wochen vor und acht Wochen nach der Geburt meines Kindes arbeite ich nicht mehr. In dieser Zeit bekomme ich aber Mutterschaftsgeld."

② „Ich bin erst 15. Kinder und Jugendliche sollen sich gut entwickeln. Sie sollen natürlich auch konzentriert am Schulunterricht teilnehmen. Deshalb gelten für sie besondere Bestimmungen. Kinder unter 13 dürfen überhaupt nicht arbeiten."

③ „Ich bin Krankenschwester. In meinem Beruf muss man ständig mit Wasser und Reinigungsmitteln arbeiten. Man wäscht sich oft die Hände. Oder man trägt stundenlang Gummihandschuhe. Deshalb haben viele Kolleginnen und Kollegen Hautkrankheiten. Bei uns gibt es arbeitsmedizinische Vorsorgeuntersuchungen, um Hauterkrankungen frühzeitig zu erkennen."

④ „Ich bin Lkw-Fahrer. Ich muss mich an die gesetzlichen Bestimmungen zum Schutz der Fahrer von Reisebussen und Lkw halten und Ruhezeiten einhalten."

⑤ „Ich arbeite nachts. Ich lasse mich regelmäßig arbeitsmedizinisch untersuchen. Wenn meine Gesundheit in Gefahr ist, kann ich normale Arbeitszeiten am Tag beantragen."

1 Schauen Sie sich die Leute oben im Bild an und überlegen Sie erst einmal gemeinsam: Wo arbeiten diese Menschen? Welche Gefahren bestehen durch die Arbeit?

2 Ordnen Sie dann zu: Wer sagt was?

A _____ B _____ C _____
D _____ E _____

3 Wechselspiel

Partner A

Sie wollen mit dem Betriebsrat sprechen, weil …

Ihre vertragliche Arbeitszeit beträgt 29,5 Stunden die Woche. Ihr Arbeitgeber verlangt aber regelmäßig mehr als 10 Überstunden – ohne Bezahlung. Er ruft Sie auch am Wochenende an! Jetzt hat er das Weihnachtsgeld gestrichen. Sie sind wütend.

Fragen Sie Partner B, warum er mit dem Betriebsrat sprechen will. Erzählen Sie Ihre eigene Geschichte.

Partner B

Sie wollen mit dem Betriebsrat sprechen, weil …

Sie arbeiten zusammen mit zwei Kolleginnen in einem Büro. Das Zimmer ist für drei Personen viel zu klein. Die Schreibtische stehen eng beieinander. Ihre Kolleginnen reden viel, Sie müssen viel telefonieren. Keine kann in Ruhe arbeiten. Sie fühlen sich müde und ausgelaugt. Vielleicht kann der Betriebsrat helfen.

Fragen Sie Partner A, warum er mit dem Betriebsrat sprechen will, und erzählen Sie Ihre eigene Geschichte.

Arbeit und Geld

Was verdient man in Deutschland?

Was bedeutet brutto und netto?

Verdienen Frauen in Deutschland so viel wie Männer?

Wer hilft mir bei der Steuererklärung?

Wie viel verdienen die Deutschen?

Bruttolöhne und -gehälter 2006

Hamburg	30.710
Hessen	29.572
Baden-Württemberg	28.889
Bayern	27.995
Nordrhein-Westfalen	27.138
Bremen	27.103
Berlin	26.275
Saarland	26.163
Rheinland-Pfalz	25.912
Niedersachsen	25.702
Schleswig-Holstein	24.619
Brandenburg	21.856
Sachsen	21.541
Thüringen	21.170
Sachsen-Anhalt	21.114
Mecklenburg-Vorpommern	20.645

Im Durchschnitt verdienen die deutschen Arbeitnehmer 26.000 Euro brutto pro Jahr. Das sind rund 2.200 Euro im Monat – inklusive Urlaubs- und Weihnachtsgeld. Hamburg liegt beim Bruttojahresverdienst mit ca. 30.000 Euro an der Spitze. Hier verdienen die Arbeitnehmer im Durchschnitt etwa 2.500 Euro im Monat. Schlusslicht ist Mecklenburg-Vorpommern, wo die Arbeitnehmer rund 1.700 Euro im Monat verdienen. Die Liste sagt jedoch nichts über die Lebenshaltungskosten aus. So verdienen die Hamburger zwar am meisten, das Leben in Hamburg ist aber auch teurer als beispielsweise in Thüringen.

Familie mit 3 Kindern	ein „Single", ca. 25 Jahre alt	ein Seniorenehepaar

1 Lesen Sie die Fragen auf den Zetteln oben und sammeln Sie weitere Fragen.

2 Lesen Sie den Text und die Statistik. Welche Fragen beantwortet der Text?

3 Wie viel Geld braucht man zum Leben? Überlegen Sie, was für die Menschen in der Tabelle oben zu den Lebenshaltungskosten gehört. Vergleichen Sie auch mit der Tabelle auf S. 72 in Kapitel 9.

Bezahlung für Arbeit

Es gibt in Deutschland ganz unterschiedliche Formen der Bezahlung für Arbeit.

A Das Geld, das abhängig Beschäftigte vom Arbeitgeber bekommen, nennt man Arbeitsentgelt. Wenn das Arbeitsentgelt auf Stundenbasis berechnet wird und deshalb jeden Monat schwankt, spricht man vom Lohn.

B Wenn das Arbeitsentgelt monatlich gleich bleibt, spricht man vom Gehalt.

C Besoldung nennt man die Bezahlung der Beamten, Richter und Soldaten.

D Ein Honorar bekommt ein selbstständiger oder ein freier Mitarbeiter, z.B. ein Dozent, ein Autor, ein Architekt usw.

E Bei Umsatzbeteiligung/Provision verdient z.B. eine Verkäuferin, je nachdem, wie viel sie verkauft, oder ein Taxifahrer, je nachdem, wie viele Kunden er fährt.

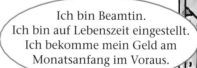

6

45

1 Ordnen Sie den Texten die passenden Bilder und Aussagen zu.

2 Überlegen Sie: Was sind die Vorteile und Nachteile?

Der Taxifahrer kann viel verdienen, wenn es ein Fußballspiel im Ort gibt. Aber er …

Der Angestellte …

Die Beamte …

Der Arbeiter …

Die Kursleiterin …

Projekt: Lesen Sie Stellenanzeigen in Zeitungen und im Internet. Welche Formen der Bezahlung finden Sie?

Zulagen

Zulagen sind Vergütungen, die Arbeitnehmer zusätzlich zum Lohn bekommen. Zulagen können im Arbeitsvertrag vereinbart werden. Meistens sind sie jedoch im Tarifvertrag geregelt. Zu den wichtigsten Zulagen gehören:

1. Ein **Müllwerker** bekommt eine **Schmutzzulage**, …
2. Ein **Bauarbeiter** erhält eine **Gefahrenzulage**, …
3. Ein **Stahlarbeiter** bekommt eine **Lärmzulage**, …
4. Eine **Friseurin** bekommt eine **Zulage für Mehrarbeit**, …
5. Ein **Bäcker** bekommt eine **Zulage für Nachtarbeit**, …
6. Eine **Sekretärin** bekommt als **Weihnachtsgeld** ein 13. Monatsgehalt, …
7. Eine **Polizeibeamtin** erhält eine **Zulage für Schichtarbeit**, …
8. Eine **Nachtschwester** bekommt eine **Zulage für Samstags-, Sonntags- und Feiertagsarbeit**, …
9. Ein **Metallarbeiter** erhält jeden Juni das **Urlaubsgeld**, …

a) weil der Lärmpegel in der Fabrik sehr hoch ist.
b) weil sie zu unterschiedlichen Zeiten im Streifenwagen unterwegs ist.
c) weil sie nicht nur an den Werktagen arbeitet.
d) weil seine Arbeit eine starke Verschmutzung des Körpers und der Kleidung zur Folge hat.
e) wenn sie regelmäßig länger arbeitet, als es im Arbeitsvertrag steht.
f) weil er auf einer Baustelle im Tunnel bei laufendem Verkehr arbeitet.
g) weil er regelmäßig schon früh um 3.00 Uhr in der Backstube sein muss.
h) wenn das so im Tarifvertrag vereinbart ist.
i) wenn das im Arbeitsvertrag so geregelt ist.

6 Urlaubsgeld

Extra für die Reisekasse

Tarifliches Urlaubsgeld in der mittleren Vergütungsgruppe[1]

Branche	West	Ost
Holz und Kunststoff Westf.-Lippe[2]/Sachsen	1.877 €	1.143 €
Druckindustrie[3]	1.586 €	1.586 €
Metall[3] Nordwürtt.-Nordbaden/Sachsen	1.321 €	1.323 €
Versicherungen	1.195 €	1.195 €
Bauhauptgewerbe[3] (ohne Berlin)	1.130 €	1.008 €
Einzelhandel[4] NRW/Brandenburg	1.003 €	890 €
Chemie	614 €	614 €
Textil Westf., Osnabrück/ Bundesgebiet Ost	604 €	263 €
Süßwaren	414 €	267 €
Landwirtschaft[3] Bayern/Meckl.-Vorp.	184 €	155 €
Steinkohlenbergbau Ruhr	156 €	

1) Endstufe, 2) Nur Gehalt, 3) Nur Lohn, 4) Verkäufer/Verkäuferinnen (Endgehalt)
Quelle: WSI-Tarifarchiv, Stand: 30. April 2007 | ©Hans-Böckler-Stiftung 2007

1 Zulagen – Lesen Sie die Aussagen 1–9 und ergänzen Sie die richtigen Nebensätze.

2 Besprechen Sie die Grafik im Kurs. Wo bekommt man am meisten Urlaubsgeld?

Was bleibt vom Lohn?

2006 gaben die Arbeitgeber durchschnittlich 2756 Euro im Monat für jeden Mitarbeiter aus. Davon stehen 2226 Euro brutto auf der Verdienstabrechnung. Die 530 Euro, die der Betrieb als Arbeitgeberbeiträge an die Sozialkassen abführt, bleiben unsichtbar.

Nach Abzug von Lohnsteuer und Solidaritätszuschlag sowie den Arbeitnehmerbeiträgen zur Renten-, Kranken-, Pflege- und Arbeitslosenversicherung bleiben nur 1452 Euro netto im Monat übrig. 1304 Euro – das ist der Unterschied zwischen Lohnkosten und Nettoverdienst – bekommt der Staat.

Nettolohn   Solidaritätszuschlag

Steuern

Bruttolohn

Arbeitnehmer

Sozialabgaben

Arbeitgeber

Sozialversicherung

> Der Arbeitnehmer bekommt weniger als die Hälfte von den Lohnkosten!

> Aber brutto verdient er ungefähr drei Viertel von den Lohnkosten.

> Davon geht aber noch die Lohnsteuer ab.

> Ja, und der Solidaritätszuschlag und die Sozialversicherungsbeiträge.

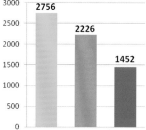

Dreimal Lohn
Monatliches Entgelt/Einzelperson in Euro 2006

- ■ Arbeitnehmerentgelt
  Diesen Betrag zahlt der Betrieb.
- ■ Bruttoverdienst
  Das steht auf der Verdienstabrechnung.
- ■ Nettoverdienst
  Dieser Betrag wird überwiesen.

6

47

Verdienstbescheinigung – März 2008 für: Monika Haas PERSONALNUMMER 345621	
1947,46	**Bruttolohn**
245,80	Lohnsteuer
13,52	Solidaritätszuschlag
22,12	Kirchensteuer
143,14	Krankenversicherung
189,88	Rentenversicherung
63,29	Arbeitslosenversicherung
21,42	Pflegeversicherung
1248,26	**Nettolohn**

1 Welche der Wörter oben kennen Sie? Wie hängen die Begriffe miteinander zusammen?

2 Dreimal Lohn – Sprechen Sie über die Grafik.

3 Lesen Sie die Verdienstbescheinigung. Ordnen Sie die Steuern und Sozialabgaben dem Zweck zu.

a) zur Bezahlung von häuslicher oder stationärer Pflege
b) zur Finanzierung der Kosten bei Krankheit oder Unfall
c) zur Finanzierung allgemeiner Aufgaben des Staates
d) zur Sicherung des Einkommens bei Arbeitslosigkeit
e) zur Finanzierung der evangelischen/katholischen Kirche (wenn man Kirchenmitglied ist)
f) zur Altersabsicherung
g) zur Finanzierung der deutschen Wiedervereinigung

TIPP Möchten Sie wissen, was Sie nach Abzug von Steuern und Sozialversicherungsbeiträgen an Nettogehalt noch übrig haben? Im Internet gibt es Brutto-Netto-Rechner. Geben Sie „Brutto-Netto-Rechner" als Suchwort im Internet ein.

Daran kann ich doch was ändern!

Wie viel jemand verdient, hängt von verschiedenen Faktoren ab:

1. vom Schulabschluss
2. von der Berufserfahrung
3. von den Fremdsprachenkenntnissen
4. vom Alter
5. vom Geschlecht
6. von der Branche
7. von der Region
8. von der aktuellen Arbeitsmarktsituation
9. von den Stellenanforderungen
10. vom Lohnsystem des Arbeitgebers

> Ich möchte gerne eine Hotelfachschule besuchen. Das ist mein Traum.

> Und ich würde gerne in eine Großstadt umziehen – am liebsten nach Berlin.

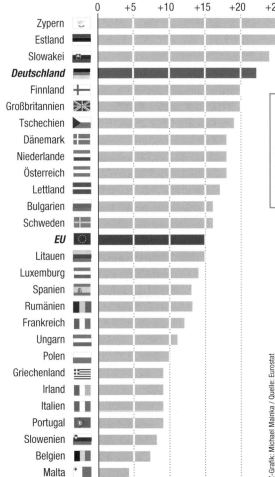

STARKES GEFÄLLE
Der große kleine Unterschied

In nur drei Ländern der EU werden Frauen im Verhältnis zu Männern noch schlechter bezahlt als in Deutschland. Hierzulande beträgt die Differenz 22 Prozent. Im europäischen Durchschnitt geht die Lohnschere immerhin auch noch um 15 Prozent auseinander.

Wie viel Männer mehr verdienen
Mehrverdienst gegenüber Frauen in %

Zypern, Estland, Slowakei, **Deutschland**, Finnland, Großbritannien, Tschechien, Dänemark, Niederlande, Österreich, Lettland, Bulgarien, Schweden, **EU**, Litauen, Luxemburg, Spanien, Rumänien, Frankreich, Ungarn, Polen, Griechenland, Irland, Italien, Portugal, Slowenien, Belgien, Malta

SZ-Grafik: Michael Mainka / Quelle: Eurostat

	Frauen verdienen brutto im Monat	Männer verdienen brutto im Monat
Bankkauffrauen/-männer	2.967 Euro	3.682 Euro
Chemielaboranten	2.617 Euro	3.157 Euro
Köchinnen/Köche	1.505 Euro	1.863 Euro

1 Lesen Sie 1–10 oben. Sammeln Sie im Kurs weitere Beispiele. Überlegen Sie dann: Woran kann man etwas ändern? Was würden Sie persönlich in Zukunft gerne ändern?

2 Was sagt die Statistik? Beantworten Sie gemeinsam im Kurs die Fragen:
   a) In welchen Ländern werden Frauen im Vergleich mit Männern schlechter bezahlt?
   b) In welchen Ländern ist der Unterschied gering?
   c) Wo liegt Deutschland im Vergleich?

3 Rechnen Sie: Wie groß ist der Unterschied zwischen dem Verdienst von Frauen und Männern in den Beispielen in der Tabelle?

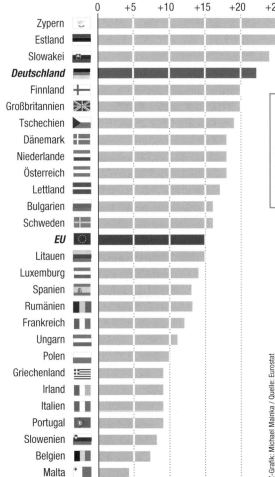

6

48

Eine tolle Idee?

Der Gründer der Drogeriemarktkette dm, Prof. Dr. Götz W. Werner, wirbt für ein garantiertes Grundeinkommen (Bürgergeld). Das Geld dafür soll eine Steuerreform einbringen.

SPIEGEL ONLINE: Herr Werner, Sie möchten ein Bürgergeld für jeden, egal ob er arbeitet oder nicht, ob er arm ist oder reich. Wie soll das funktionieren?
Werner: Nach unserem Modell hätte jeder Bürger einen gesetzlichen Anspruch auf durchschnittlich 1200 Euro pro Monat.
SPIEGEL ONLINE: Sie wollen also auch denjenigen Geld geben, die es eigentlich gar nicht nötig hätten?
Werner: Ja, jeder würde das Geld bekommen, ohne dafür bitten zu müssen. Auf der Basis dieser finanziellen Sicherheit könnte jeder seine Fähigkeiten in die Gemeinschaft einbringen. Niemand würde mehr arbeiten, um Geld zu verdienen, sondern weil er Freude an der Arbeit hat.
SPIEGEL ONLINE: Wer aber macht dann die unattraktive Arbeit von Reinigungskräften oder Bergarbeitern?
Werner: Dafür muss man dann gute Löhne bezahlen oder man automatisiert die Arbeit oder man macht es selbst.
SPIEGEL ONLINE: Meinen Sie nicht, dass dieses Modell die Menschen faul macht?
Werner: Zu sagen, dass die Menschen faul sind, ist unfair. Die allermeisten wollen arbeiten, das zeigt mir meine Erfahrung als Unternehmer, die Filialleiter ebenso wie die Lagerarbeiter oder die Menschen an der Kasse. Denn Arbeit vermittelt den Menschen das Gefühl, gebraucht zu werden und im sozialen Netzwerk anerkannt zu sein.

Vier Meinungen zum Bürgergeld

Rosi M., Verkäuferin, ist Einzelhandelskauffrau. Ihr Stundenlohn: rund 7,00 €. Mit 170 Stunden Arbeit im Monat kommt die Bremerin auf einen Nettolohn von 900,– €. Das ist wenig für sie und ihren kleinen Sohn, den sie alleine erzieht. Sie sagt: „Mit einem Grundlohn hätte ich mehr Zeit für mein Kind."

Herbert W., Apotheker, besitzt und leitet eine Apotheke. Seine Meinung: „Ein Grundlohn ist doch Unsinn. In Europa, nicht nur in Deutschland, stehen wir im Wettbewerb mit Indien, China und anderen Staaten. Da müssen wir erfolgreich sein. Mit einem Grundlohn – da legen sich die Leute doch auf die faule Haut."

Dorothee S., Lehrerin, arbeitet in einer Grundschule in Berlin. Sie sagt: „Der Wohlstand in Deutschland wächst, aber viele Menschen arbeiten

für Löhne, von denen sie nicht leben können. Das ist natürlich unsozial und ungerecht. Aber ich bin gegen einen Grundlohn für alle – das ist einfach zu teuer für den Staat."

Cengiz D., Friseurgeselle Der 29-jährige Cengiz D. arbeitet in einem Friseursalon in Kiel. Er verdient 900 € netto. Bei bis zu zwölf Arbeitsstunden pro Tag kommt er auf eine 70-Stunden-Woche. Sein Netto-Stundenlohn beträgt dann 3,20 €. „Ein Grundlohn wäre doch super", sagt er. „Dann würde ich mehr Musik machen. Das ist mein Hobby. Aber dafür habe ich jetzt gar keine Zeit."

1 **Lesen Sie den Auszug aus einem Interview.**

2 **Lesen Sie die vier Stellungnahmen zum Bürgergeld.**

    a) Wer ist für und wer ist gegen einen Grundlohn?

    b) Wer verdient wenig, gut, sehr gut?

3 **Was ist Ihre Meinung? Sammeln Sie im Kurs Argumente für und gegen einen Grundlohn. Diskutieren Sie dann miteinander die Frage.**

Minijobs

Immer mehr Menschen brauchen einen Nebenjob. Allein 1,2 Millionen Menschen über 60 Jahre gehen laut Statistik mittlerweile einem Minijob nach.
Minijobber zahlen normalerweise keine eigenen Beiträge zur Sozialversicherung: Sie erhalten ihren Bruttoverdienst ohne einen Euro Abzug, im Höchstfall 400 Euro.

A Haben Minijobber Anspruch auf Weihnachtsgeld?

Ja, auch Minijobber haben Anspruch auf Urlaubs- und Weihnachtsgeld, wenn dies im Arbeitsvertrag festgelegt ist. Erhält man Urlaubs- oder Weihnachtsgeld, kann die 400-Euro-Grenze überschritten werden, sodass die Beschäftigung sozialversicherungspflichtig ist.

B Kann man auch mehrere Minijobs haben?

Ja, man kann mehrere Minijobs gleichzeitig haben, aber nicht beim selben Arbeitgeber. Der Verdienst aus allen Minijobs zusammen darf nicht über 400 Euro liegen. Ist das der Fall, ist man sozialversicherungspflichtig.

C Können auch Arbeitslose einen Minijob haben?

Ja, auch Arbeitslose können einen Minijob haben. Aber es muss genau geprüft werden, ob sie sozialversicherungspflichtig sind oder nicht. Das Arbeitslosengeld wird eventuell gekürzt.

D Kann man einen Minijob auch neben einer normalen Arbeit haben?

Ja, neben einem Hauptberuf kann man auch noch einen 400-Euro-Job haben. Er bleibt sozialversicherungsfrei. Alle weiteren 400-Euro-Jobs werden aber mit der Hauptbeschäftigung zusammengerechnet und sind sozialversicherungs- und steuerpflichtig.

Beispiel 1: Herr G. arbeitet regelmäßig seit 1. Juni 2006 beim Arbeitgeber A und verdient monatlich 400 Euro. Ein Jahr später, am 1. Juli 2007, beginnt er beim Arbeitgeber B noch einen Minijob. Hier verdient er im Monat 300 Euro. Mit seinem zweiten Minijob übersteigt Herr G. die 400-Euro-Grenze und muss Sozialversicherungsbeiträge zahlen.

Beispiel 2: Frau F. hat eine Halbtagsstelle als Büroangestellte. Sie übernimmt für einen Monat zusätzlich die Urlaubsvertretung für eine Freundin, die in einem Privathaushalt eine alte Dame betreut – versicherungsfrei.

Beispiel 3: Herr B. bekommt Arbeitslosengeld II (ALG II). Er arbeitet 2 Monate als Zeitungsbote. Er verdient 400 Euro pro Monat. Deshalb ist die Arbeit sozialversicherungsfrei.

Beispiel 4: Frau A. verdient 380 Euro im Monat und bekommt jedes Jahr Weihnachtsgeld in Höhe von 380 Euro. Das macht zusammen 4.940 Euro im Jahr. Sie verdient im Monat 411,67 Euro. Damit liegt sie über der 400-Euro-Grenze und ist sozialversicherungspflichtig.

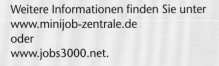

Weitere Informationen finden Sie unter
www.minijob-zentrale.de
oder
www.jobs3000.net.

1 **Lesen Sie die Texte A–D. Zu welchem Text passen die Beispiele 1–4?**

Steuererklärung: Wer hilft?

Maria Sanchez-Pimentel hat schon viele Jobs gemacht: von der Köchin bis hin zur Zeitungsverkäuferin. Vor drei Jahren hat sie sich zur Altenpflegerin umschulen lassen und ist nun in einem Heim der Arbeiterwohlfahrt angestellt. Als Altenpflegerin bekommt sie zwar ein festes Gehalt, aber die Höhe ihres Einkommens hängt davon ab, wie viele Nacht- und Feiertagsdienste sie monatlich macht. Ihre Steuererklärung ist nicht sehr kompliziert, aber sie will sich trotzdem Hilfe holen.

Wo bekommt sie Hilfe?

1. Bei ihren Kollegen
Wenn man nicht weiterweiß, sollte man zuerst Kollegen und Kolleginnen fragen. Schließlich haben alle mit diesen Fragen zu tun.

2. Beim Lohnsteuerhilfeverein
Lohnsteuerhilfevereine sind Selbsthilfeeinrichtungen.

Sie arbeiten kostendeckend, machen also keine Gewinne. Aber wer eine Beratung bekommen will, muss Mitglied sein. Lohnsteuerhilfevereine werden ausschließlich bei Einkünften aus nichtselbstständiger Arbeit, Renten und Versorgungsbezügen tätig. Die Mitgliedsbeiträge richten sich nach der Höhe des Einkommens. Wer weniger verdient, zahlt auch weniger Geld für die Beratung.

3. Beim Steuerberater
Steuerberater beraten beim Schreiben und Zusammenstellen der Steuererklärungen. Sie achten bei den Beratungsgesprächen darauf, dass alle Möglichkeiten, Steuern zu sparen, genutzt werden. Steuerberater sind aber nicht billig.

Ein Lohnsteuer-Profi rät:
Der Staat bekommt jedes Jahr 500 Millionen Euro vom Steuerzahler geschenkt. Denn jeder 3. Steuerbescheid ist unvollständig oder mangelhaft ausgefüllt! Viele Arbeitnehmer geben ihre Steuererklärung auch gar nicht erst ab. Wenn Sie kein Geld verschenken möchten, dann sollten Sie die Hilfe eines Experten vom Lohnsteuerhilfeverein oder eines Steuerberaters nutzen. Vielleicht bekommen Sie ja auch eine Steuer-Rückerstattung, also Geld zurück.

1 Lesen Sie die Texte. Was soll Maria Sanchez-Pimentel zuerst machen, was danach …?

2 Sammeln Sie gemeinsam im Kurs Redemittel für die Hilfesuche und Fragen für ein Beratungsgespräch.

4. Beim Finanzamt
Alle deutschen Finanzämter haben sogenannte Servicecenter für Steuerzahler, an die sich jeder kostenlos wenden kann. Sie haben ganzjährig zu den normalen Bürozeiten geöffnet. Meist ist nicht mal eine Terminvereinbarung nötig. Nur in den Stoßzeiten kurz vor den Abgabeterminen muss man mit langen Wartezeiten rechnen.

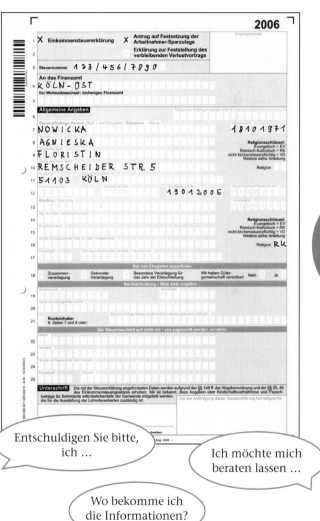

Entschuldigen Sie bitte, ich …

Ich möchte mich beraten lassen …

Wo bekomme ich die Informationen?

Einen Lohnsteuerhilfeverein in Ihrer Nähe finden Sie im Internet unter www.bdl-online.de.

Projekt: Suchen Sie Adressen in Ihrem Ort oder Stadtteil: Finanzamt, Lohnsteuerhilfevereine, Steuerberater.

6

Technik

Technik überall

Elektrizität	–	elektrisch
Elektronik	–	elektronisch
Mechanik	–	mechanisch
Optik	–	optisch

Strahlung, Display, Einschaltknopf, Programmwahl, Tasten, Menü

Technische Entwicklungen vom Ende des 18. Jahrhunderts bis ins 21. Jahrhundert

1. Eisenbahn
2. mechanischer Webstuhl
3. mobile Telekommunikation
4. Raumfahrt
5. Dampfmaschine
6. industrielle Eisenherstellung
7. Telefon
8. Kunstdünger
9. Fotografie
10. Gentechnologie
11. Atomkraftwerke
12. Mikroelektronik
13. Telegrafie
14. Zementherstellung
15. Kunststoffe
16. elektrisches Licht
17. Aluminiumproduktion
18. Fernsehen
19. Multimedia
20. Auto
21. Solarenergie

vor 1800 ➠   1800 ➠   1850 ➠   1900 ➠   1950 ➠ 2000 …

mechanischer Webstuhl   Telegrafie   Zement Aluminium

1 Welche Wörter im Kasten oben rechts passen zu welchem Bild?

2 Kennen Sie noch weitere Wörter von Geräteteilen, die Sie auf den Bildern finden? Ergänzen Sie die Liste im Kasten.

3 Technische Entwicklungen – Was meinen Sie: Seit wann ungefähr gibt es die Technologien und Produkte 1–21?

Das kann ich gut. Da kenn ich mich aus.

Ich kann sehr gut mit elektrischen Geräten umgehen.

Ich schreibe jeden Tag einige E-Mails.

Wenn jemand ein Problem mit … hat, kann ich fast immer helfen.

Im Haushalt muss ich immer …

Ich simse täglich …

Früher habe ich …

Man holt mich immer, wenn jemand Ikea-Möbel aufbauen muss.

Ich habe schon oft Fahrräder repariert …

7

53

Also, zuerst muss man …

… dann leuchtet …

… und dann kann man …

erst, zuerst, zunächst, als Erstes	öffnen – schließen
	einschalten/anmachen
dann, danach	ausschalten/ausmachen
	einstellen
wenn …, dann …	programmieren
	bedienen
	betätigen
zum Schluss …	dazugeben/hinzufügen
	nachschauen
	kontrollieren/überprüfen

1 Erfahrungen mit Technik – Beschreiben Sie ein technisches Gerät, das Sie gut kennen. Erklären Sie, wie Sie es bedienen. Die anderen raten das Gerät.
Welche Wörter im Kasten oben können Sie für die Erklärungen benutzen?
Ergänzen Sie auch die Listen.

2 Wo können Sie Ihre Technikkenntnisse einsetzen? Wo im Beruf oder im Alltag helfen Ihnen Ihre Technikkenntnisse?

Eine Beschreibung

Schnurloses Telefon (= Handset)

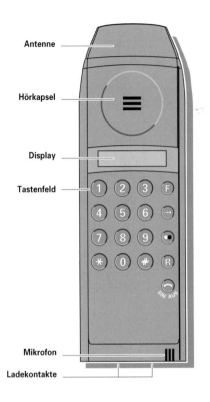

- Antenne
- Hörkapsel
- Display
- Tastenfeld
- Mikrofon
- Ladekontakte

Tastatur
Die Tastatur besteht aus 17 Tasten, die zum Teil doppelt belegt sind.

Die Bedeutung der Tasten lautet wie folgt:
Die Zifferntasten 1–0 sowie die Sondertasten * und # dienen zum Wählen der Rufnummer.

Ⓕ Die F-Taste schaltet die Zweitbelegung der o.g. Tasten ein.

Die Tasten unterhalb der F-Taste haben folgende Funktionen:

⟶ Kurzwahl

◉ Wahlwiederholung, einwählbare Pause

Ⓡ Signaltaste (beim Betrieb an einer Telefonanlage)

⌒ EIN-AUS-Taste: schaltet das Handset ein, wenn Sie selbst anrufen wollen oder wenn ein Anruf eintrifft. Gespräche werden durch diese Taste beendet.

> Wo ist denn hier die Wahlwiederholung?

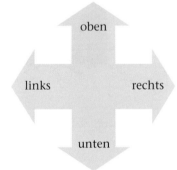

oben

links   rechts

unten

In der ersten Reihe ...
In der zweiten Reihe ...
In der dritten Reihe ...
In der vierten Reihe ...

1 **Klären Sie die Begriffe im Bild. Wozu braucht man die Dinge:**

die Antenne – die Hörkapsel – das Display – das Tastenfeld – das Mikrofon – die Ladekontakte

> Die Wahlwiederholungstaste ist in der dritten Reihe rechts.

2 **Was sieht man auf dem Display?**

3 **Beschreiben Sie das Tastenfeld und die Funktion der Tasten.**

> Mit der F-Taste schaltet man die zweite Funktion der Zifferntasten ein.

Eine Bedienungsanleitung

Halten Sie die Patrone jetzt so, dass die Seite mit den Anweisungen nach links zeigt. Setzen Sie die Patrone jetzt vorsichtig bis zum Anschlag in den Kopierer ein.
Drücken Sie kräftig auf die Taste, um die obere Abdeckung zu schließen.
Bewegen Sie das Vorlagenglas jetzt wieder in Mittelposition und schalten Sie das Gerät ein.

Bitte schalten Sie das Gerät aus, bevor Sie die Tonerpatrone herausnehmen.
Schieben Sie das Vorlagenglas nach links, bis die Markierung

zu sehen ist.
Drücken Sie auf die Öffnungstaste der oberen Abdeckung und klappen Sie die Abdeckung nach oben. Halten Sie das Ende der Patrone fest und ziehen Sie die alte Patrone aus dem Kopierer.

Nehmen Sie die neue Tonerpatrone aus ihrer Verpackung. Halten Sie die Patrone waagerecht, sodass die Seite mit den Anweisungen nach oben zeigt.
Schwenken Sie die Patrone einige Male um 90° nach links und rechts, um den Toner in der Patrone gleichmäßig zu verteilen. Fassen Sie am Griff des Siegelbandes an und ziehen Sie das Band in Pfeilrichtung seitlich aus der Patrone heraus.

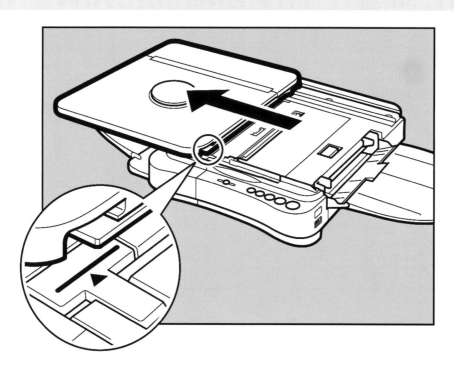

1 Suchen Sie diese Begriffe im Text: Patrone, Toner, Abdeckung.
Um was für ein Gerät geht es hier?

2 Lesen Sie die Bedienungsanleitung. Zu welchem Teil passt welche Überschrift? Zwei passen nicht.

Entfernen der alten Patrone

Kontrolle des Kopierers

Einsetzen der neuen Patrone

Entsorgen der alten Patrone

Vorbereiten der neuen Patrone

3 Ordnen Sie die Bedienungsanleitung: Welcher Teil steht am Anfang, welcher in der Mitte, welcher am Ende? Welche Wörter haben Ihnen geholfen?

🚩 **Projekt:** Einigen Sie sich im Kurs auf zwei oder drei (tragbare) Geräte und bringen Sie diese mit den Gebrauchsanweisungen in den Unterricht.
Versuchen Sie in Gruppen, einen der Gegenstände zu bedienen. Besprechen Sie hinterher, wie Sie vorgegangen sind:
Welche Wörter waren besonders wichtig? Was hat Ihnen beim Verstehen geholfen? Was war schwierig? …

PC – der Personal Computer

1975

Vor über 30 Jahren gab es den ersten Personal Computer (PC). Inzwischen haben 65 % aller Haushalte in Deutschland Zugang zu einem PC und zum Internet. Man kann heute fast alles im Alltag über das Internet erledigen.

Aber wie funktioniert eigentlich ein Computer?

Das EVA-Prinzip

Die Arbeitsweise eines Computers kann man in etwa mit der Arbeitsweise eines Menschen vergleichen. Beide folgen dem EVA-Prinzip von Eingabe – Verarbeitung – Ausgabe.

	Eingabe	Verarbeitung	Ausgabe
Mensch	Augen (lesen) Ohren (hören) Zunge (schmecken) Nase (riechen) Finger/Haut (fühlen)	Gehirn (ordnen, prüfen, merken, vergleichen)	Hände (schreiben) Mund (sprechen) Gesicht und Körpersprache (nonverbale Kommunikation)
Computer	Diskette Festplatte Tastatur Scanner Maus Modem Mikrofon Digitalkamera Videokamera CD-ROM DVD	Arbeitsspeicher Prozessor	Diskette Festplatte Bildschirm Drucker Modem Lautsprecher Kopfhörer CD-R/RW DVD-RAM/RW

Wie der Computer arbeitet der Mensch nach dem Prinzip von Eingabe – Verarbeitung – Ausgabe.

1. Zur Eingabe dient beim Computer z. B. die Tastatur oder die Maus. Beim Menschen sind die Augen und die Ohren zur Informationsaufnahme gedacht.
2. Die Verarbeitung übernehmen im Computer die Prozessoren des CPU (englisch: central processing unit).

Zum Speichern hat der Computer eine Festplatte. Beim Menschen verarbeitet und speichert das Gehirn die Informationen.

3. Die Ausgabe von Informationen erfolgt beim Computer auf dem Bildschirm oder auf einem Drucker. Der Mensch benutzt zum Sprechen seinen Mund und zum Schreiben seine Hände.

1 1975 – Lesen Sie den Text und erzählen Sie: Wann haben Sie im Alltag mit Computern zu tun? Wann hatten Sie zum ersten Mal mit einem Computer zu tun?

> Wenn ich Geld vom Automaten abhebe …

2 EVA-Prinzip – Lesen Sie die Texte. Kennen Sie die Computer-Begriffe?
Wo befinden sich die Teile? Wozu braucht man sie?

> Die Festplatte ist im Computer. Sie speichert die Daten.

> Es gibt aber auch externe Festplatten.

Schilder am Arbeitsplatz

Verbotsschilder

A  B C  D  E  F

Sicherheitsschilder

G  H  I  J  K L

Gebotsschilder

M  N  O  P  Q R

1. Sie müssen einen Schutz für die Ohren tragen, weil es hier sehr laut sein kann.
2. Hier gibt es Dinge, die leicht brennen.
3. Sie müssen eine Schutzbrille tragen.
4. Sie dürfen hier nicht rauchen.
5. Achtung, elektrischer Strom!
6. Sie müssen Handschuhe tragen.
7. Sie dürfen diesen Raum nicht mit Straßenschuhen betreten.
8. Sie müssen einen Helm tragen.
9. Hier gibt es Dinge, die explodieren können.

10. Sie müssen beim Gehen vorsichtig sein, weil man hier leicht hinfallen kann.
11. Sie müssen Stiefel tragen, die Ihre Füße schützen.
12. Hier dürfen Sie keine Fotos machen.
13. Hier dürfen Sie nicht mit dem Handy telefonieren.
14. Hier finden Sie „Erste Hilfe".
15. Hier müssen Sie eine Gasmaske zum Atemschutz tragen.
16. Vorsicht! Giftige Stoffe!
17. Sie dürfen hier keinen Alkohol trinken.
18. Es kann tödlich sein, wenn Sie die Leitung berühren.

TIPP Achten Sie bewusst auf Hinweisschilder am Arbeitsplatz. Wenn Sie ein Schild nicht verstehen, fragen Sie die Kollegen oder den Chef.

1 Sehen Sie die Schilder an und ordnen Sie die Sätze 1–18 zu.

2 Wie weisen Sie Ihre Kollegen auf Gefahren oder Gebote hin?

Achtung. Das ist lebensgefährlich.

Du musst hier …

Sie dürfen hier nicht …

Fragen und Antworten aus einem Interview mit einem Betriebsrat

Frage	Antwort des Betriebsrats
Welche Sicherheitsprobleme gibt es bei Ihrer Arbeit, z.B. beim Umgang mit Gift oder mit Starkstrom oder mit anderen gefährlichen Stoffen (z.B. Gasen) oder Gegenständen (Werkzeugen, Materialien)?	Es bestehen vor allem Gefahren beim Umgang mit Maschinen. In einigen Bereichen ist Lärm ein Problem (Notwendigkeit von Lärmschutz). In anderen Bereichen haben wir schwierige Bedingungen durch Abluft (Notwendigkeit von Atemmasken) und Hitze. Viele Probleme entstehen durch Zeitdruck. Durch viele Überstunden am Wochenende sind die Kollegen auch manchmal übermüdet. Weil die Erholung am Wochenende fehlt, steigt die Unfallgefahr.
Was passiert, wenn jemand gegen die Sicherheitsregeln verstößt?	Er wird vom Vorgesetzten oder auch von Kollegen darauf hingewiesen: „So geht das nicht!"
Welche Vorschriften sind für Sie besonders wichtig?	Das Tragen von Schutzkleidung und Sicherheitsschuhen.
Wie oft gibt es Arbeitsbesprechungen zur Sicherheit?	Ungefähr einmal im Jahr, wenn nichts Besonderes anliegt.
Wie werden Sie über die Sicherheitsvorschriften informiert?	Es gibt eine Sicherheitsschulung bei der Arbeitsaufnahme oder bei Änderung des Arbeitsplatzes. Das dauert ca. eine Stunde und wird vom Meister/Schichtführer durchgeführt.
In welcher Form gibt es Informationen zu neuen Sicherheitsvorschriften?	Es gibt viele schriftliche Informationen. Da muss dann viel gelesen werden. Man muss unterschreiben, dass man das verstanden hat. Das gilt auch für die Sicherheitsbestimmungen. Ich bin der Meinung, dass 25 % gar nicht richtig verstehen, was da steht, aber trotzdem unterschreiben.
Verstehen Sie alle Texte zur Arbeitssicherheit und die Sicherheitsschilder an Ihrem Arbeitsplatz?	Grundsätzlich ja.
Gab es Unfälle im Betrieb? Was war passiert?	Am häufigsten gibt es Unfälle an den Maschinen: Der Grund ist oft Unaufmerksamkeit und Nichtbeachtung der Sicherheitsvorrichtungen.
Wohin können Sie gehen, wenn Sie Probleme in Ihrer Arbeitsstelle haben?	Grundsätzlich kann man sich an den Betriebsrat oder an die Vorgesetzten wenden. Für Sicherheitsfragen gibt es außerdem Sicherheitsbeauftragte.
Gibt es Ihrer Meinung nach unterschiedliche „Einsichten" im Umgang mit Sicherheitsanforderungen zwischen Männern und Frauen?	Nein, im Prinzip nicht.

1 Lesen Sie das Interview. Notieren Sie alle Wörter mit „Sicherheits-„ aus dem Text.

2 Über welche Probleme und Regeln zur Sicherheit informiert das Interview? Notieren Sie und sammeln Sie im Kurs. Schreiben Sie!

3 Welche Sicherheitsprobleme am Arbeitsplatz kennen Sie? Sprechen Sie im Kurs.
Nicht vergessen: Auch der Haushalt ist ein Arbeitsplatz und er ist einer der gefährlichsten.

controlling

display

touch panel

Seit wann jobbst du in dem Hotel?

Chatten im Netz – Social Communitys für Senioren wachsen langsam
07.08.2007 12:13:08
(PA) Auch die Nutzergemeinschaft der Senioren pflegt Kontakte und tauscht Informationen über das Internet.

Über 2 Millionen Kids in Deutschland per Handy erreichbar

Warst du gestern auf dem Meeting?

Der Fotokopierer wurde geleast.

Wenn wir das Product neu launchen wollen, dann ist absolut essential, dass wir die Consumer-Acceptance in einem detaillierten Survey vorher checken und eine Product-Positioning-Analyse machen. Dann müssen wir die USPs rausarbeiten und …

Was sagt er?

1 **Englische Wörter in der deutschen Sprache – Lesen Sie die Texte und Sprechblasen. Welche Wörter haben Sie schon mal gehört? In welchen Situationen? Von welchen Personen? Was bedeuten die Wörter?**

2 **Kennen Sie noch weitere „neudeutsche" Wörter? Suchen Sie in Werbeanzeigen, auf Schildern … Aus welchen Bereichen kommen diese Wörter: Technik, Werbung, Unterhaltung …?**

3 **Achten Sie mal darauf, wie sich diese Wörter der deutschen Sprache anpassen: Wie ist das mit den Artikeln? Wie ist das mit der Konjugation?**

laptop [comp.]   der (auch: das) Laptop
  tragbarer Computer

Schreiben und Rechnen

①

Liebe Susi,
wir sind jetzt in
Berlin. Super hier!
Klasse Wetter. Gestern
haben wir eine lange
Fahrradtour am
Wannsee gemacht.
Alles Liebe,
Lena

55 Deutschland

Frau
Susi Richter
Sandstraße 2
82178 Puchheim

②
Übernehme handwerkliche Tätigkeiten

Ich übernehme Malerarbeiten, Tapezieren, Boden/Laminat/Fliesen legen, Entrümpelungen, Möbel- und Küchenmontage, Umzugshilfe, Transportervermietung mit Fahrer für **10.00 € pro Stunde**.

③
Bülent hat angerufen:
– Vorstellung bei „T-Tex"
  morgen 15 Uhr
– B. ruft heute 20 Uhr an

④
Name: . . . .
Vorname: . . . .
Straße: . . . .
PLZ: . . . .
Stadt: . . . .
Straße: . . . .
Telefonnummer: . . . .
Mobil: . . . .
E-Mail: . . . .
Steuer-Nr: . . . .

⑤

Sehr geehrte Frau Dormagen,

am 28. Juni haben Sie uns eine Lieferung von 2500 Haartrocknern, Typ Roast 640, geschickt. Wir haben nun bei mehreren Geräten technische Mängel festgestellt (siehe Mängelbericht in der Anlage). Die Sendung geht per Fracht an Sie zurück mit der Bitte um kurzfristige Lieferung mängelfreier Ware.

Mit freundlichen Grüßen

Ulrich Wetz
Warenannahme
MercurElektroWelt

Anlage: Mängelbericht

⑥
Wanderers Nachtlied
Ein Gleiches

Über allen Gipfeln
Ist Ruh,
In allen Wipfeln
Spürest du
Kaum einen Hauch;
Die Vögelein schweigen im Walde.
Warte nur, balde
Ruhest du auch.

Johann Wolfgang von Goethe

1 Was sind das für Texte? Ordnen Sie die Begriffe den Texten zu.

Anzeige, Geschäftsbrief, Telefonotiz, Gedicht, Formular, Postkarte

2 Überlegen Sie: Welche Texte haben Sie schon in Ihrer Muttersprache, in anderen Sprachen oder auf Deutsch geschrieben? Was schreiben Sie oft, selten, nie? Was brauchen Sie? Was möchten Sie gerne schreiben können?

Notizen machen

Text auf dem Anrufbeantworter

Guten Tag, hier spricht Frau Maggert von der Firma Postexpress. Ich wollte Ihnen nur sagen, dass unser Fahrer im Stau steht und frühestens um 16 Uhr bei Ihnen sein kann.
Die Paketgebühr kassiert der Fahrer. Sie beträgt 25 Euro 50.
Wenn Sie mich zurückrufen möchten, erreichen Sie mich unter der Nummer 0521 8806723.

Text auf dem Anrufbeantworter

Hallo, Frau Nunes,
schade, dass Sie jetzt nicht da sind. Ich habe morgen und übermorgen Arbeit für Sie. Wir haben zwei große Familienfeiern und brauchen drei zusätzliche Hilfskräfte. Sie müssten um 10 Uhr anfangen und sind etwa um 22 Uhr fertig. Rufen Sie mich doch bitte an, wenn Sie diese Nachricht abhören. Entweder im Restaurant: 06203 324123, oder auch unter meiner Handynummer: 0173 798417

1 Arbeiten Sie zu zweit. Jede/r wählt einen Text (A/B) aus. Lesen Sie Ihren Text und notieren Sie die wichtigsten Stichwörter. Lesen Sie dann den Text vor. Ihre Partnerin / Ihr Partner notiert Stichwörter. Vergleichen Sie: Haben Sie das Gleiche geschrieben?

2 Schreiben Sie eigene Telefonnachrichten und wiederholen Sie die Übung.

Wochenbericht

Sie arbeiten bei der Firma „Kurzschluss". Ihre Personalnummer ist 34123. Letzte Woche haben Sie auf der Baustelle Sonnengasse 23 gearbeitet. Sie waren am Montag 7 Stunden auf der Baustelle und am Dienstag 6 Stunden. Sie haben in der Küche elektrische Leitungen verlegt und Lampen installiert. Für die Leitungen haben Sie am Montag 7 Stunden gebraucht und für die Lampen 6 Stunden am Dienstag.

Wochenarbeitsbericht				
Firma:			**Stunden pro Tag:**	8
Name		Pers.-Nr.		Woche vom/bis
Montag	Datum	Baustelle	Ausgeführte Arbeiten:	Arb.-Std.
Dienstag	Datum	Baustelle	Ausgeführte Arbeiten:	Arb.-Std.

3 Lesen Sie den Text und ergänzen Sie das Formular.

4 Sammeln Sie Formulare aus Ihrem Alltag. – Besprechen Sie die Formulare im Kurs.

8

61

Berichten, was Sie getan haben

abhören	abschalten	anfangen	anschalten	aufhören
ausbauen	bauen	bedienen	befestigen	beraten
beschriften	beseitigen	bestellen	checken	durchführen
einbauen	einkaufen	einordnen	einstellen	erneuern
helfen	kontrollieren	lesen	messen	organisieren
pflegen	planen	produzieren	programmieren	putzen
reinigen	renovieren	reparieren	schreiben	telefonieren
testen	unterrichten	untersuchen	verkaufen	verpacken
verschreiben	warten	waschen	überprüfen	faxen

Ich habe die Heizung gewartet.

1 Was bedeuten die Verben? Arbeiten Sie mit dem Wörterbuch. Wie heißen die Perfektformen zu diesen Verben? Schreiben Sie zu 10 Verben je einen Beispielsatz im Perfekt.

2 Erfinden Sie einen Arbeitstag. In Ihrem Bericht sollen mindestens fünf Verben aus der Liste vorkommen.

Mein Tag als Ärztin

Ich habe um 7 Uhr <u>angefangen</u>. Zuerst habe ich den Anrufbeantworter <u>abgehört</u>. Dann habe ich die E-Mails <u>gecheckt</u>. Um 7.30 Uhr hat die Sprechstunde angefangen. Ich habe von 7.30 bis 12 Uhr Patienten <u>untersucht</u>. Von 12 bis 14 Uhr hatte ich Pause. Danach habe ich bis 17 Uhr wieder Patienten untersucht. Danach habe ich mit Patienten <u>telefoniert</u> und Berichte <u>gelesen</u> und <u>geschrieben</u>.

8

62

Geschäftsbrief

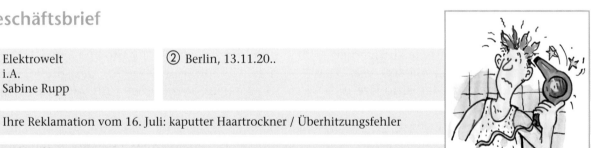

① Elektrowelt
   i.A.
   Sabine Rupp

② Berlin, 13.11.20..

③ Ihre Reklamation vom 16. Juli: kaputter Haartrockner / Überhitzungsfehler

④ Wir schicken Ihnen anbei ein fabrikneues Ersatzgerät. Wir entschuldigen uns für die Probleme und hoffen, dass Sie mit dem neuen Gerät zufrieden sein werden.

⑤ Justus Rollmann
   Mollstraße 18
   68127 Mannheim

⑥ Sehr geehrter Herr Rollmann,

   vielen Dank für Ihr Schreiben. Wir haben den Haartrockner untersucht und den Fehler gefunden.

⑦ Mit freundlichen Grüßen

⑧ MercurElektroWelt GmbH & CoKG • Postfach 100567 103654 Berlin

1 Ordnen Sie die Elemente des Geschäftsbriefs.

2 Schreiben Sie die Reklamation, die zu diesem Brief passt. Achten Sie auch auf die Form.

> vor einigen Wochen habe ich in Ihrem Internetshop einen Haartrockner gekauft.

wird sehr heiß • Haare verbrennen fast • zurücksenden • möchte funktionierendes Gerät

3 Hatten Sie auch schon mal Reklamationen? Schreiben Sie kurze Reklamationsbriefe. Tauschen Sie im Kurs und beantworten Sie die Briefe.

Einige Ideen: schlechter Service im Schwimmbad • Kleidung im Internet gekauft: verliert Farbe beim Waschen • Zeitschrift abonniert, aber sie wird nicht pünktlich geliefert • eine Digitalkamera im Versandhandel gekauft, funktioniert nicht ...

Schreibübungen selbst machen

1. Schreiben Sie einen *kurzen* Text aus Ihrem Berufsfeld ab und speichern Sie ihn.
2. Machen Sie eine Kopie der Datei. Jetzt können Sie Übungen machen. Fünf Vorschläge:
   a) Löschen Sie Wörter aus dem Text.
   b) Löschen Sie von jedem 2. Wort die Hälfte.
   c) Mischen Sie die Sätze.
   d) Schreiben Sie alles groß.

   e) Machen Sie bewusst 10 Fehler in den Text (Groß-/ Kleinschreibung oder Doppel-s oder <ie/h> usw.).
3. Speichern Sie Ihre Übung und warten Sie ein paar Tage. Dann machen Sie die Übung bzw. korrigieren den Text. Noch besser ist es, wenn Sie mit jemandem Texte tauschen können.

Beispiel: Berufsfeld „Verkäufer/in"

TEXT 1

Absatz 1
Verkäufer stellen den Kontakt zu den Menschen her, die in das Geschäft kommen. Sie führen Verkaufsgespräche und finden die Wünsche der Kunden heraus. Danach bieten sie Waren oder Dienstleistungen an, die zu diesen Wünschen passen. Ziel ist es, dass die Kunden zufrieden sind. Freundlichkeit und Interesse an Menschen sind wichtig für diesen Beruf. Aber man muss auch viel über die Produkte wissen.

Absatz 2
Verkäufer haben aber noch weitere Aufgaben: Sie sind in der Warenannahme tätig, kontrollieren die Lieferungen, sorgen für eine sachgerechte Lagerung der Produkte und kümmern sich um die Pflege der Waren. Verkäufer sorgen dafür, dass die Waren in ausreichender Menge und Sortierung im Verkaufsraum vorhanden sind. Sie verpacken die Waren und bringen schließlich mit dem Kassieren den Verkaufsvorgang zu einem erfolgreichen Abschluss. Darüber hinaus schreiben Verkäufer Rechnungen, führen Bestands- und Bestell-Listen und pflegen die Kundendatei.

1 Lesen Sie Absatz 1 von Text 1. Ergänzen Sie dann Text 2 auf Seite 64.

2 Lesen Sie Absatz 2 von Text 1. Finden Sie dann die 11 Fehler in Text 3 auf Seite 64 (4 x groß/klein, 4 x i/ie, 3 andere).

TEXT 2

Verkäufer stellen den Kontakt zu den Menschen her, die in das Geschäft kommen.

S _ _ führen Verkaufs _ _ _ _ _ _ _ _

und fin _ _ _ die Wün _ _ _ _ der

Kun _ _ _ heraus.

Dan _ _ _ bieten s _ _ Waren od _ _

Dienstleistungen an, d _ _ zu die _ _ _

Wünschen pas _ _ _ . Ziel i _ _ es, da _ _

die Kun _ _ _ zufrieden si _ _ . Freundlichkeit u _ _ Interesse an Mens _ _ _ _

sind wic _ _ _ _ für die _ _ _ Beruf.

Ab _ _ man mu _ _ auch vi _ _ über

d _ _ Produkte wis _ _ _ .

TEXT 3

Verkeufer haben aber noch mehr Aufgaben: Si sind in der warenannahme tätig, kontrolliren die Liferungen, sorgen für eine sachgerechte Lagerung der Produkte und Kümmern sich um die Pflege der Waren. Verkäufer sorgen dafür, das die Waren in ausreichender menge und Sortierung im Verkaufsraum vorhanden sind. Sie verpacken die Waren und bringen schließlich mit dem Kassieren den Verkaufsvorgang zu einem Erfolgreichen Abschluss. Darüber hinaus schreiben Verkäufer Rechnungen, führen Bestands- und Bestell-Liesten und pflegen die Kundendatei.

Rechnen auf Deutsch

1 Was ist was? Schreiben Sie die Begriffe für die Rechenarten zum Bild.

dividiert durch • (ist) gleich • Prozent • minus • plus • mal • Quadratwurzel aus

2 Rechnen Sie und vergleichen Sie im Kurs.

3 Schreiben Sie weitere Aufgaben und tauschen Sie im Kurs.

1235 – 1234 = 1

10765 + 567 = _____

45 : 9 = _____

12 • 12 = _____

1,5 + 3,5 = _____

Quadratwurzel aus

Die Firma T-Tex hat eine Lieferung von T-Shirts verschickt. Es sind 60 weiße T-Shirts für 3,99 Euro das Stück, 20 T-Shirts Extra-Qualität für 10,25 Euro das Stück und 20 Sweatshirts für 14,35 Euro das Stück. Schreiben Sie die Rechnung. Beachten Sie die Mehrwertsteuer von 19 %. Was muss der Kunde zahlen, wenn innerhalb von 14 Tagen gezahlt wird?

4 **Lesen Sie den Text und ergänzen Sie das Rechnungsformular.**

T-Tex		Rechnungsnr. Kundennr.	11035-2008 3568
Produkt	**Stück**	**Stückpreis**	**Summe**
T-Shirt, weiß	60	3,99	
		netto	
		MwSt. 19 %	
		brutto	

Bei Zahlung innerhalb von 14 Tagen: 2 % Skonto

Pizzeria da Mario
Mario & Stefania Vinci
Pfadgasse 23
69117 Heidelberg

1 Pizza Mondo   9,80
1 Spaghetti Bolognese   8,70
2 Kl. Salat   7,40
1 Pellegrino (0,75)   5,20
2 Espresso   4,30

Zwischensumme   _____

5 **Was muss der Gast bezahlen? Er gibt 50 Euro und er gibt 2 Euro Trinkgeld. Wie viel bekommt er zurück?**

6 **Sammeln Sie eine Woche Ihre Supermarktquittungen und machen Sie die Summen unkenntlich. Tauschen Sie im Kurs. Keiner soll wissen, von wem welche Quittung ist. Wie viel hat der Kurs in einer Woche für Lebensmittel ausgegeben?**

Arbeitslos – und dann?

Wovon leben die Menschen in Deutschland?

abhängige Erwerbsarbeit
> Arbeit, für die man Lohn oder Gehalt bekommt

selbstständige Arbeit
> Arbeit, die man in einer eigenen Firma oder freiberuflich macht

privater Transfer
> Geld, das man von anderen Personen bekommt, z.B. von der Familie

staatlicher Transfer
> Geld, das man vom Staat oder von der Sozialversicherung bekommt
> (Kindergeld, Wohngeld, Arbeitslosengeld …)

Kapitaleinkünfte
> Zinsen, Mieten, Aktiengewinne …

Rentenbezug
> Geld, das man von einer Rentenversicherung erhält
> (Altersrente, Witwenrente, Waisenrente, Erwerbsunfähigkeitsrente)

1. Ich bekomme Rente.
2. Ich habe eine eigene Firma.
3. Ich bekomme Sozialhilfe.
4. Ich habe reich geheiratet.
5. Ich lebe von meinem Vermögen.
6. Ich lebe von meiner Arbeit.
7. Ich lebe von meiner Familie.
8. Ich habe ein Haus geerbt.
9. Ich spekuliere an der Börse.

a) ____ abhängige Erwerbsarbeit
b) ____ selbstständige Erwerbsarbeit
c) ____ Mietwert selbst genutzten Wohneigentums
d) ____ privater Transfer
e) ____ staatlicher Transfer
f) ____ Kapitaleinkünfte
g) ____ Rentenbezug

> Ich habe
> im Lotto gewonnen.
> Was ist das?

1 Ordnen Sie die Aussagen 1–9 den Begriffen
a–g zu. Es gibt mehrere Möglichkeiten. Die
Definitionen im Kasten helfen.

Wovon leben die Deutschen?

Das Haushaltsnettoeinkommen in Deutschland 1994 und 2004								
Anteile in Prozent (%)								
Jahr	Abhängige Erwerbstätigkeit	Selbstständige Erwerbstätigkeit	Mietwert selbstgenutzten Wohneigentums	Private Transfers	Kapitaleinkünfte	Private Renten	Staatliche Transfers	Sozialversicherungsrenten
1994	68,8	6,8	2,5	4,0	0,5	1,0	4,1	12,4
2004	61,2	8,8	3,4	3,8	0,6	1,3	6,9	14,0

Es gibt mehr Menschen, die selbstständig arbeiten.

Immer mehr Menschen leben von der Rente.

Die abhängige Erwerbstätigkeit ist zurückgegangen, aber immer noch sehr hoch.

Selbstständig sind doch auch die meisten Bauern, oder?

Arbeitsgesellschaft
Das Leben der Menschen ist in einer Arbeitsgesellschaft stark auf die Erwerbsarbeit ausgerichtet. Die soziale Anerkennung ist abhängig von der Stellung im Beruf. Ein gutes Einkommen ist die Voraussetzung dafür, dass man am gesellschaftlichen Leben teilnehmen kann. Arbeitslosigkeit, Krankheit oder familiäre Probleme verändern schnell die Rolle, die eine Person in der Gesellschaft einnehmen kann. In vielen Arbeitsgesellschaften gibt es soziale Sicherungssysteme (z.B. Versicherungen). Damit versucht man, die Risiken zu reduzieren.

2 Lesen Sie die Statistik. Wie ist die Situation in anderen Ländern: Wovon leben die Menschen dort? Arbeiten dort viele Menschen selbstständig? Können Sie die Situation mit Deutschland vergleichen?

3 Lesen Sie den Text „Arbeitsgesellschaft". Ist Deutschland eine Arbeitsgesellschaft? Was passiert in einer Arbeitsgesellschaft, wenn jemand nicht arbeiten kann?

Die Wirtschaft verändert sich

Die Arbeitswelt ändert sich sehr schnell

(1) Viele Arbeitsplätze verändern sich durch die Entwicklungen der Technik. Um ein Produkt herzustellen, braucht man immer weniger Arbeitsstunden. Forschung, Entwicklung und Dienstleistungen (Service, Beratung ...) werden immer wichtiger. Deutschland hat sich in den letzten 150 Jahren zuerst von einer Agrargesellschaft in eine Industriegesellschaft verwandelt und wird heute zu einer Dienstleistungs- und Wissensgesellschaft.

(2) Die Ausweitung der Produktion hat Grenzen: Wenn alle Haushalte Fernseher, Waschmaschinen und Handys haben, kaufen die Menschen oft erst dann neue Geräte, wenn die alten nicht mehr funktionieren. Ganz neue und teure Produkte können nur wenige Menschen kaufen.

(3) Große Teile der Wirtschaft sind heute global. Die alten Industrieländer in Europa und Nordamerika haben Konkurrenten in Asien, Südamerika und Afrika bekommen. Die Arbeitskosten (Löhne, Gebäude, Steuern ...) sind in vielen Ländern viel geringer als in Deutschland.

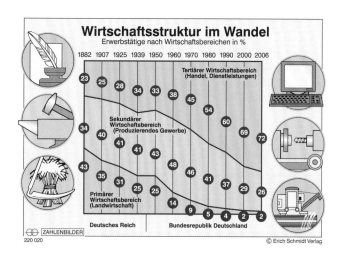

Viele Firmen lassen deshalb ihre Produkte dort herstellen. Außerdem bekommen die Firmen so auch einen besseren Zugang in diese Länder, um ihre Produkte dort zu verkaufen.

1 Suchen Sie im Text Wörter zum Wortfeld „Wirtschaft und Industrie".

Arbeitsplätze, Produkt ...

2 Zu welchem Absatz passen die Überschriften a–c?

a) **Der Absatz von Konsumgütern steigt nicht so stark wie erwartet**

b) **Die deutsche Industrie investiert in China**

c) **Arbeitsplätze: mehr Dienstleistung, weniger Produktion**

Arbeitsagentur und Jobcenter

Menschen, die eine bezahlte Arbeit brauchen, aber keine Arbeit finden, können finanzielle Hilfen bekommen: das Arbeitslosengeld.

Es gibt zwei Arten von Arbeitslosengeld.
1. Das Arbeitslosengeld – oder Arbeitslosengeld I: Dieses Geld gibt es bei der Arbeitsagentur.
2. Die Grundsicherung – oder das Arbeitslosengeld II: Dieses Geld gibt es bei den Jobcentern.

Die Arbeitsagenturen und Jobcenter verwalten das Arbeitslosengeld. Sie haben aber noch andere Aufgaben, z.B.:
• die Beratung bei der Arbeitssuche und die Arbeitsvermittlung
• die Berufsberatung und die Vermittlung von Ausbildungsplätzen
• die Vermittlung von Weiterbildung
• die Bezahlung von Ausbildungsbeihilfen

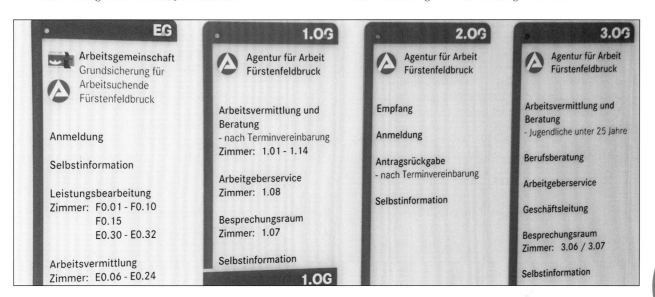

Behördendeutsch

eine Arbeit beginnen
der Ort, an dem man wohnt
ein Recht auf etwas haben
Geld bekommen
arbeiten können
zu wenig Geld zum Leben haben
Geld für Essen, Trinken, Wohnen
eine Arbeit bekommen/geben

Leistungsbezug

Arbeitsvermittlung

Hilfsbedürftigkeit

Anspruch

Erwerbsfähigkeit

Aufenthaltsort

Grundsicherung

Aufnahme einer Beschäftigung

---

1 Waren Sie schon einmal in einer Arbeitsagentur? Was haben Sie dort getan? Wie sieht es dort aus? Erzählen Sie im Kurs.

2 Sehen Sie sich das Foto oben an und lesen Sie 1–3. In welche Abteilung der Arbeitsagentur gehen die Leute?

  1. Wladimir Rogowski hat einen 400-Euro-Job. Er sucht eine Ganztagsstelle.
  2. Metin Gün hat gerade die Schule beendet. Er möchte eine Ausbildung machen.
  3. Zarah Goudarz ist Friseurin. Sie verdient nur sehr wenig.

3 Behördendeutsch: Welche Begriffe meinen das Gleiche?

„Aufnahme einer Beschäftigung" heißt, dass man eine Arbeit beginnt.

 Projekt: Wie ist das in Ihrer Stadt?

– Wo ist die Arbeitsagentur in Ihrer Stadt? Finden Sie die Adresse und die Telefonnummer.
– Welches Jobcenter ist für Sie zuständig? Finden Sie die Adresse und die Telefonnummer.
– Wo können Sie sonst noch fragen? (Arbeitsloseninitiativen ...)

Arbeitslosengeld I

Das Arbeitslosengeld I ist eine Versicherungs-leistung. Es wird aus den Beiträgen zur Ar-beitslosenversicherung gezahlt. Die Arbeits-agentur verwaltet das Arbeitslosengeld I.

Wer bekommt Arbeitslosengeld I?
Arbeitslosengeld I bekommen nur Personen, die schon Geld in die Arbeitslosenversicherung eingezahlt haben. Sie müssen außerdem arbeiten können.

Wo bekommt man Arbeitslosengeld I?
Das Arbeitslosengeld muss man bei der Agentur für Arbeit beantragen.

Wie lange bekommt man Arbeitslosengeld I?
Je länger jemand in die Versicherung eingezahlt hat, desto länger wird das Arbeitslosengeld gezahlt. Dabei gibt es aber Grenzen.
Außerdem: In den letzten zwei Jahren vor der Arbeits-losigkeit müssen mindestens 360 Tage lang Beiträge

Bundesagentur für Arbeit

gezahlt worden sein. Wer al-so vor drei Jahren 6 Monate lang und im letzten Jahr auch 6 Monate lang die Ar-beitslosenversicherung bezahlt hat, erhält noch kein Arbeitslosengeld.

Wie hoch ist das Arbeitslosengeld I?
Je mehr Geld jemand in die Versicherung eingezahlt hat, desto höher ist das Arbeitslosengeld. Dabei gibt es aber Grenzen. Die Berechnung des Arbeitslosengelds ist ziemlich kompliziert: Im Internet kann man sich aus-rechnen lassen, wie hoch das Arbeitslosengeld unter bestimmten Voraussetzungen ist.

- Arbeitslose mit Kindern erhalten ungefähr 67 % des letzten Nettolohns.
- Alle anderen erhalten ungefähr 60 %.

Zahl der Monate, in denen Beiträge in die Arbeitslosen-versicherung gezahlt wurden	Alter	Zahl der Monate, in denen Arbeitslosen-geld bezahlt wird
12		6
16		8
20		10
24		12
30	55	15
36	55	18

> Wer mindestens 24 Monate lang Beiträge gezahlt hat, kann ein Jahr lang Arbeitslosengeld bekommen.

1 Lesen Sie die Texte und ergänzen Sie die Tabelle.

Wer?	Wo?	Wie lange maximal?	Wie viel ungefähr?

2 Wissen Sie die Antwort?

1. Mario Tomassi ist 29 Jahre alt und hat 22 Monate lang Beiträge in die Arbeitslosenversicherung gezahlt. Dann wurde er arbeitslos. Wie lange kann er Arbeits-losengeld I bekommen?

2. Ekaterini Kyriakidis hat zuletzt 1.385,00 Euro netto im Monat verdient. Sie hat ein Kind. Wie hoch ist ihr Arbeitslosengeld ungefähr?

Arbeitslosengeld II

Das Arbeitslosengeld II ist eine soziale Leistung des Staates.
Es wird aus Steuermitteln gezahlt.
Die Jobcenter verwalten das Arbeitslosengeld II.

Wer bekommt Arbeitslosengeld II?
Die Grundsicherung für Arbeitssuchende können alle Menschen zwischen 15 und 65 Jahren erhalten.
Die Bedingungen sind:
Sie müssen erwerbsfähig und hilfebedürftig sein.
Sie müssen dauerhaft in Deutschland leben und ange-meldet sein.
Auch Personen, die mit den Arbeitssuchenden in einer Familie oder familienähnlich (Bedarfsgemeinschaft) zu-sammenleben, können Geld zur Grundsicherung be-kommen.

Wo bekommt man Arbeitslosengeld II?
In vielen Städten und Landkreisen bilden die Arbeits-agenturen und Kommunen zusammen sogenannte Ar-beitsgemeinschaften (ARGE). Sie führen Jobcenter, in denen man das Arbeitslosengeld II beantragen kann. In großen Städten gibt es meist mehrere Jobcenter.

Wie hoch ist das Arbeitslosengeld II?
Das Arbeitslosengeld II setzt sich zusammen aus dem, was man zum Leben unbedingt braucht. Außerdem werden die Miete und die Heizkosten für die Wohnung bezahlt.

Regelleistungssatz (Stand August 2007)

für eine erwachsene, alleinstehende Person	347 Euro
für zwei erwachsene Partner	je 312 Euro
für ein Kind (0–14 Jahre)	208 Euro
für einen Jugendlichen (15–18 Jahre)	278 Euro

Definitionen:

Erwerbsfähig – sind Personen, die mindestens drei Stunden pro Tag arbeiten können. – Ausländer sind nur dann erwerbsfähig, wenn ihnen eine Be-schäftigung erlaubt ist oder aber erlaubt werden könnte.

Hilfebedürftig – sind Menschen, die nur wenig Geld oder Geldwerte (eigene Wohnung/Auto ...) besitzen:
Pro Lebensjahr können Erwachsene 150 Euro Geld besitzen: Wer also 50 Jahre alt ist, kann 7500 Euro auf dem Konto haben. Hat man mehr, muss man das Geld für Miete und Essen nutzen.
Für die Alterssicherung (Rente) können pro Lebens-jahr noch 250 Euro zusätzlich behalten werden. Dieses Geld darf aber nicht verfügbar sein, sondern muss fest angelegt sein für die Rente (Lebensversi-cherung, Sparvertrag ...).

1 **Lesen Sie die Texte oben und dann 1–6. Rich-tig oder falsch? Kreuzen Sie an.**

R F

1. Arbeitslosengeld II wird auch „Grundsicherung" genannt. ☐☐

2. Eine Familie wird „Bedarfsgemeinschaft" genannt. ☐☐

3. Ein 60-Jähriger bekommt kein Arbeitslosengeld II. ☐☐

4. Ein Deutscher, der in Griechenland lebt, bekommt Arbeitslosengeld II. ☐☐

5. Eine kranke Person bekommt auch dann Arbeitslosengeld II, wenn sie nur noch 15 Stunden in der Woche arbeiten kann. ☐☐

6. Ausländer bekommen nie Arbeitslosengeld II. ☐☐

2 **Lesen Sie die Tabelle „Regelleistungssatz". Rechnen Sie:**

Wir hoch ist die Regelleistung für ein Ehepaar mit 3 Kindern im Alter von 17, 13 und 5 Jahren? Die Fa-milie wohnt in einer 4-Zimmer-Wohnung und zahlt 650 Euro Miete inklusive Heizung.

Aufteilung der monatlichen Regelleistung für eine alleinstehende Person:

für	Euro
Nahrungsmittel, Getränke, Tabakwaren	134,51
Bekleidung, Schuhe	34,08
Wohnen (Reparatur/Instandhaltung), Strom, Gas	26,83
Einrichtungsgegenstände (Möbel), Apparate, Geräte und Ausrüstungen für den Haushalt	27,73
Gesundheitspflege	13,19
Verkehr	19,18
Telefon und Porto	22,35
Freizeit, Unterhaltung und Kultur	38,66
Beherbergungs- und Gaststättenleistungen	10,31
andere Waren und Dienstleistungen	20,16

> Also, ich denke, die Zeitung gehört zu Unterhaltung und Kultur.

> Wie ist das, wenn ich eine Cola am Kiosk trinke: Gehört das dann zu den Getränken oder ist das eine Gaststättenleistung?

> Seife gehört wohl zur Gesundheitspflege, aber wie ist das mit Waschpulver und Putzmittel?

1. Brot, Brötchen

2. Apfelsaft

3. Hausratversicherung

4. Schwimmbadbesuch

5. Schuhe neu besohlen

6. Geschenke für die Kinder

7. Gebühren bei der Bank

8. Zuzahlung bei Brillenkauf

9. Fahrradreparatur/Benzin

10. Haftpflichtversicherung

11. Internetzugang

12. Farbe für Renovierung

13. Praxisgebühr (bei Arztbesuch)

14. Gebühren für Passverlängerung

1 **Wozu gehört das? Ordnen Sie die Posten 1–14 den Kategorien in der Tabelle oben zu.**

2 **Berechnen Sie:**

Wie viel Geld pro Tag ist für Lebensmittel gedacht?

Wie viel Geld pro Woche ist für den Verkehr gedacht (z.B. für U-Bahn, Bus, Bahn)?

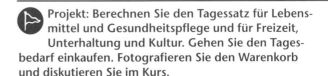 Projekt: Berechnen Sie den Tagessatz für Lebensmittel und Gesundheitspflege und für Freizeit, Unterhaltung und Kultur. Gehen Sie den Tagesbedarf einkaufen. Fotografieren Sie den Warenkorb und diskutieren Sie im Kurs.

Einen Antrag auf Arbeitslosengeld II stellen

Das Arbeitslosengeld II muss persönlich beantragt werden. Die Jobcenter prüfen, ob ein Anspruch auf Arbeitslosengeld II besteht.

Das Personal in den Jobcentern muss auch beim Ausfüllen der Anträge helfen.

Sie brauchen diese Dokumente:
1. Personalausweis oder Reisepass mit Aufenthaltsstatus (wenn man nicht die deutsche Staatsangehörigkeit besitzt)
2. aktuelle Meldebestätigung (wenn man nicht die deutsche Staatsangehörigkeit besitzt)
3. Krankenversicherungskarte
4. Sozialversicherungsausweis
5. Rentenversicherungsnummer
6. Mietvertrag
7. Nachweis über Kindergeld
8. aktuelle Lohnabrechnung (falls man in einem Arbeitsverhältnis steht)
9. Nachweis über eine Bankverbindung und Kontoauszüge des Girokontos
10. aktueller Nachweis über Guthaben auf Sparbüchern

ANTRAG AUF LEISTUNGEN ZUR SICHERUNG DES LEBENSUNTERHALTES NACH DEM ZWEITEN BUCH SOZIALGESETZBUCH (SGB II)
- ARBEITSLOSENGELD II / SOZIALGELD -

Dienststelle

Referenznummer

Nr. der Bedarfsgemeinschaft

Org.Einheit

- bitte ausfüllen, wenn bekannt -

Tag der Antragstellung

EINGANGSSTEMPEL

- nicht vom Antragsteller auszufüllen -

Antrag angenommen am:

Der Antragsteller/Die Antragstellerin hat sich ausgewiesen durch:

☐ Bundespersonalausweis
☐ Pass
☐ Sonstige Ausweispapiere   (Hz. Datum)

I. Allgemeine Daten des Antragstellers/der Antragstellerin

Familienname

Vorname

Straße, Haus-Nr. - ggf. bei wem -

PLZ, Wohnort

Telefonnummer (mit Vorwahl) und/oder E-Mail-Adresse für Rückfragen

Bankverbindung (bitte angeben, weil die Leistungen bargeldlos überwiesen werden)
BLZ   Konto-Nr.

bei Bank/Postbank/Sparkasse, sonstigem Kreditinstitut

Name des Kontoinhabers

Falls Sie kein Girokonto haben und auch keines eröffnen können, weisen Sie dies bitte durch eine Bescheinigung einer Bank oder Sparkasse nach.

Hinweise für die Sachbearbeitung
(wird von der zuständigen Stelle eingetragen)

Personen ☐① ☐② ☐③ ☐④ ☐⑤

Arbeitsaufnahme am

Erste Lohn-/Gehaltszahlung am

Arbeitsunfähig ab

Sonstiges   (Hz.Dat./Org.E)

9
73

---

1 Planen Sie die Abgabe eines Antrags auf Arbeitslosengeld II: Was machen Sie als Erstes, Zweites, Drittes …? Nummerieren Sie.

____ fehlende Unterlagen beantragen   ____ Adresse des Jobcenters suchen

____ nach den Öffnungszeiten des Jobcenters fragen   _1._ eine Beratungsstelle aufsuchen

____ Unterlagen zusammensuchen   ____ einen Antrag auf Arbeitslosengeld II besorgen

2 Füllen Sie die erste Seite von einem Antrag auf Arbeitslosengeld II aus.

Antragsformulare gibt es kostenlos auch im Internet, z. B. hier:

http://www.flegel-g.de/pdf-alg-antrag/Antrag_Arbeitslosengeld_II_-_online_ausfuellbar.pdf

Kommunikationsspiel

1

Start

Spielanweisung:
Sie können hier mit einer 1-Euro-Münze spielen: Werfen Sie die Münze. Liegt die Zahl oben, dann dürfen Sie 2 Felder vorrücken. Liegt die Zahl nicht oben, rücken Sie nur 1 Feld vor. Wer als Erster das Ziel erreicht, hat gewonnen.

2
Begrüßen Sie einen Kollegen, den Sie schon lange kennen.

3
Begrüßen Sie eine unbekannte Dame, die in Ihre Abteilung kommt.

4
Stellen Sie zwei Kollegen einander vor.

14
Reagieren Sie auf eine Frage, die Sie nicht beantworten wollen.

13
Sie haben etwas nicht richtig verstanden. Was sagen Sie?

12
Sie haben eine kleine Unterhaltung mit einer Kollegin. Signalisieren Sie, dass Sie das Gespräch beenden wollen.

15
Was sagen Sie zu einer Kollegin, die Sie immer unterbricht?

16
Bitten Sie telefonisch um einen Rückruf.

19
Jemand greift Sie im Gespräch an. Sie wollen Grenzen setzen. Was sagen Sie?

17
Ihr Kollege sagt, Sie haben einen Fehler gemacht. Geben Sie den Fehler zu.

18
Sie möchten ein Gespräch mit Ihrem Chef. Was sagen Sie?

6

Sagen Sie eine Aussage zum Wetter in
a) ruhigem,
b) ärgerlichem,
c) höflichem Ton.

7

Sagen Sie dies sehr höflich:
„Gib mir mal das Telefonbuch."

5

Lassen Sie sich am Telefon mit der Personalabteilung verbinden.

8

Sie sind neu im Betrieb und wollen mit einem Kollegen ins Gespräch kommen. Äußern Sie eine kleine Bitte.

9

Nehmen Sie den Anruf eines Kunden entgegen.

10

Sie wollen in der Teambesprechung einen neuen Punkt ansprechen. Was sagen Sie?

11

Sie möchten noch einmal wiederholen, was Ihr Gesprächspartner gesagt hat. Was sagen Sie?

24

Ziel

20

Machen Sie bei einer Teambesprechung einen Vorschlag.

23

Verabschieden Sie sich.

21

Äußern Sie einem Vorgesetzten gegenüber einen Wunsch.

22

Sie hatten ein Gespräch mit einem Vorgesetzten. Bedanken Sie sich für das Gespräch.

Arbeitswortschatz-Kompositaspiel

Regeln:

1. Sie spielen zu zweit oder in zwei Gruppen A und B. Legen Sie zuerst die Spieldauer fest (20–30 Minuten).
2. Sie brauchen **einen** Würfel. A und B würfeln. Wer die höhere Zahl hat, beginnt.
3. Sie würfeln zweimal. Suchen Sie sich bei jedem Würfeln ein Wort aus der senkrechten Spalte mit der erreichten Zahl aus. Wenn Sie zweimal dieselbe Zahl gewürfelt haben, müssen Sie zwei verschiedene Wörter aus dieser Spalte auswählen.

4. Sie haben ein Wort gefunden.
   Richtig? Sie bekommen 1 Punkt (oder 2 bei zwei Wörtern).
   Falsch? Sie bekommen keinen Punkt.
5. Das andere Team ist dran.
6. Wer am Ende der Spielzeit die meisten Punkte hat, hat gewonnen.

Streit? Schlagen Sie im Wörterbuch nach.
Ihre Lehrerin / Ihr Lehrer ist Schiedsrichter/in.

Es gibt viele Möglichkeiten. Beispiel:

Sie haben und gewürfelt:

Erste Möglichkeit:

A + C = Kündigungsschutz = 1 Punkt

Zweite Möglichkeit:

B + F = der Gehaltstarif + das Tarifgehalt = 2 P.

Dritte Möglichkeit:

C + G = Ausbildungsstelle = 1 Punkt
…

	1	2	3	4	5	6
A	ARBEIT(S)	VERDIENST	KÜNDI-GUNG(S)	BETRIEB(S)	STEUER	BEWERBUNG(S)
B	BERATER	GESPRÄCH(S)	GEHALT(S)	BERUF(S)	CHEF	BILDUNG(S)
C	STUNDEN	VEREIN-BARUNG(S)	STELLE	SCHUTZ	ERKLÄRUNG	NEHMER/IN
D	PERSONAL	AUSFALL	GRUPPE	AUSFLUG(S)	BRIEF	PLATZ
E	SCHLIES-SUNG(S)	PROGRAMM	ANWALT(S)	COMPUTER	ABSCHLUSS	FORMULAR
F	RECHT(S)	ZEIT	RAUM	TARIF	TEAM	ERHÖHUNG
G	GEBER/IN	SPEZIALIST/IN	RAT	AUSBIL-DUNG(S)	ABRECH-NUNG(S)	ANFÄNGER/IN
H	SCHULE	TÄTIGKEIT(S)	PROBE	VERTRAG	LEITERIN	KLEIDUNG
I	BE-SCHEINIGUNG	ZETTEL	ANWEISUNG	BESPRE-CHUNG(S)	ZIEL	BÜRO

Lösungen

1 Kommunikation im Betrieb

Seite 4/1 von oben nach unten im Uhrzeigersinn: Postbeamtin am Schalter: freundlich, höflich; Chef zu Frau Müller: neutral; Frau Müller zu Mehmet: freundlich, kollegial; Kollegin zu Mehmet: freundschaftlich, kollegial, emotional, tröstend; Mehmet zum Packer: ärgerlich, umgangssprachlich, ungeduldig; Mehmet zum Kunden: höflich, distanziert, freundlich, formell

Seite 5/1 formell: 2, 3, 6, 10, 11, 13, 14; informell: 1, 4, 5, 7, 8, 9, 12, 15

Seite 5/2 A: Gespräch zwischen Kollegen (duzen sich, Sätze unvollständig, umgangssprachlich); B: Gespräch zwischen Chef und Angestelltem (siezen sich, formelle Sprache, ganze Sätze, Konjunktiv zum Ausdruck einer höflichen Bitte); C: Gespräch zwischen zukünftigen Geschäftspartnern (höflich, formell, beide sind auf der gleichen Ebene).

Seite 6/2 1. Darf ich bitte ausreden. – Bitte unterbrechen Sie mich nicht. 2. Da gibt es noch eine Sache: ... – Ich möchte noch etwas anderes ansprechen. 3. Ich wiederhole das noch einmal, damit keine Unklarheiten bleiben. 4. Sprecher signalisiert, dass er fertig ist, macht eine kleine Pause, fragt vielleicht, „Was sagen Sie dazu?"; 5. Entschuldigung, hören Sie mir eigentlich zu? 6. Entschuldigung. Habe ich das richtig verstanden?

Seite 7/2 Verwendung des Konjunktivs, Höflichkeitsformeln wie „entschuldigen Sie die Störung", Sie-Form, häufige Namensnennung (Guten Tag, Herr/Frau …)

Seite 10/3 1b/e/g; 2b/e/g; 3a/e/f/g/h; 4e/f/g; 5c; 6g/h; 7b/c/d/f/g; 8d/g

2 Arbeitsverhältnisse

Seite12/1 1: Bauarbeiter/in, 2: Verkäufer/in, 3: Friseur/in, 4: Arzt/Ärztin, 5: Reinigungsfachkraft, 6: Reisebürokaufmann/-frau 7: Industriearbeiter/in, 8: Lehrer/in, 9: Müllarbeiter, 10. Altenpfleger/in

Seite 12/4 die Produktion: Industriearbeiter/in, Techniker/in; das Handwerk: Friseur/in, Bauarbeiter/in, Mechaniker/in, Schuster, Optiker; der Verkauf/Vertrieb: Verkäufer/in, Vertreter/in, Verlagskauffrau/-mann; der öffentliche Dienst: Lehrer/in, Müllarbeiter, Beamte/r, Polizist/in, Feuerwehrmann/-frau; die Dienstleistung: Reinigungsfachkraft, Friseur/in, Reisebürokaufmann/-frau, Verkäufer/in, Bankangestellte/r; Medizin/Pflege: Arzt/Ärztin, Altenpfleger/in, Krankenschwester/Krankenpfleger/in, Physiotherapeut/in, Logopäde/in; soziale Berufe: Arzt/Ärztin, Altenpfleger/in, Sozialarbeiter/in

Seite 13/5 M. Obando: 10 (Altenpflegerin); M. Urbanska: 6 (Reisebürokauffrau); M. Radenkovic: 1 (Bauarbeiter); A. Stezko: 4 (Arzt); J. Aazar: 8 (Lehrerin)

Seite 16-17/1 1. Berufsausbildung; 2. Selbstständigkeit; 3. Ein-Euro-Job; 4. Nebenjob; 5. Leiharbeit/Zeitarbeit (*Mindestlohn* passt nicht.) – 6. Einsatzort; 7. abhängig Beschäftigte; 8. 400-Euro-Job/Minijob; 9. Praktikum; 10. Schulabschluss (*Tarifvertrag* passt nicht.) – 11. Vollzeit/Teilzeit; 12. Probezeit; 13. Schwarzarbeit; 14. Ehrenamt; 15. befristet/unbefristet (*Arbeitslosengeld* passt nicht.)

Seite 18/1 E. Altun: gesetzliches Arbeitsverhältnis. Sie und Arbeitgeber zahlen Steuern, Arbeitszeiten sind klar geregelt, sie erhält den ihr gesetzlich zustehenden Urlaub, keine Bezahlung für zusätzlichen Urlaub ist korrekt. M. Müller: ungesetzliches Arbeitsverhältnis: überdurchschnittlich viele Stunden, keine ausreichenden Pausenzeiten, zu wenig bezahlter Urlaub, Stundenlohn unterhalb Tarif.

Seite 19/1 Ausbildung: Schneiderlehre; Gründeridee: Eröffnung eigener Filialen in Deutschland (Berlin und Hamburg); Probleme: finanzielle Probleme, zu wenig Kunden; heutige Tätigkeit: Änderungsschneider in einem Textilpflegegeschäft

3 Arbeitsuche – Bewerbung

Seite 20-21/1 soziale Berufe: B; Handwerk: A, F; Gastronomie: E; Dienstleistung: B, D, E, F; Verkauf: C; Transport: C, D

Seite 22/3 Anzeigen A-C: keine Angaben über das Aufgabengebiet, keine Angaben über die Firmen, die die Anzeigen geschaltet haben. Anzeige B: teure Telefonnummer. Anzeige A fordert Besitz eines Transporters; Anzeige C: „leistungsgerechte Provision" kann Anzeichen für schlechte Bezahlung sein.

Seite 23/1 Einstellungsgespräch zwischen einem Arbeitgeber (Inhaber eines Friseursalons) und einer Bewerberin

Seite 23/2 Bewerberin verkauft sich schlecht. Sie könnte mehr von sich und ihrer Ausbildung erzählen und so ihr Gegenüber für sich und ihre Qualifikationen interessieren.

Seite 25/1 Beide Briefe passen zu Anzeige A. Brief A besser, weil distanziert, aber doch freundlich und mit wichtigen Informationen, geht genau auf Anzeige ein. Brief B: verschiedene Stilebenen, die nicht zueinanderpassen (z.B. Sehr geehrte Damen und Herren / Liebe Grüße), gibt Informationen, die für den zukünftigen Arbeitgeber nicht interessant sind. Wenig Bezug auf Anzeige und keine Erwähnung seiner beruflichen Qualitäten.

Seite 27/1 zu vertraulich mit Personalchef, gibt Informationen über ihr Privatleben preis (wo sie ihren Mann kennengelernt hat), sagt nichts über ihre Ausbildung (welche Lehre als was bei wem), möchte die Stelle nicht, weil sie glaubt, dass ihr diese Arbeit gefällt, sondern weil sie zu Hause Langeweile hat, stellt nur Fragen zu Urlaub und Arbeitszeit, nicht zum Aufgabengebiet, unangemessene Gehaltsvorstellungen

Seite 27/2 1: Zeile 31-35; 2: Zeile 24-30; 3: Zeile 9-15; 4: Zeile 1-10

4 Kollegen

Seite 29/1 K. Korsavina: Bürokauffrau in Versandhaus; K. Krakow: Lastwagenfahrer in Spedition; K. Staube: Kassiererin in Supermarktkette; M. Gür: Elektroinstallateuer in Handwerksbetrieb; A. Luca: Putzfrau bei Reinigungsfirma

Seite 29/2 K. Korsavina muss sich mit ihren Kollegen abstimmen, wer welche Bestellungen erledigt. K. Staube muss Kolleginnen informieren, wenn sie in die Pause geht. M. Gür muss über Arbeitsaufteilung/ Tagesarbeitsplan mit Kollegen sprechen. A. Luca muss sich mit Kolleginnen abstimmen, wer welchen Bereich putzt.

Seite 30/1 2 Aufgaben erledigen/erfüllen, 3 Aufgabenverteilung klären, 4 Fähigkeiten einsetzen, 5 Fertigkeiten einsetzen, 6 Missverständnisse berichtigen, 7 Planungen besprechen, 8 Verständigung (schwierig) sein

Seite 31/1 Anfangsphase: TOP 1, 2; Diskussionsphase: TOP 3, 4 ,5, Schlussphase: TOP 6

Seite 31/2 TOP 1: Gibt es noch Fragen zum Protokoll der letzten Sitzung? TOP 2: Uns liegen von der Geschäftsleitung wichtige Informationen vor, die ich Ihnen gern bekannt geben möchte. TOP 3: Wir konnten heute einen Experten für Sicherheitsschulungen, Herrn Meier von der Berufsgenossenschaft, gewinnen. TOP 4: Die Schichtpläne für Juli müssen wegen einiger Krankheitsfälle neu festgelegt werden. TOP 5: Und nun zur Urlaubsplanung für den Sommer. TOP 6: Wir müssen nun über die nächsten Aufgaben sprechen und die Terminpläne verabreden.

Seite 33/1 1 B; 2 E; 3 C; 4 A, 5 D

Seite 33/2 Familienmitglieder und Freunde duzt man, auch junge Leute und oft auch Kollegen duzen sich untereinander. Vorgesetzte siezt man immer, wenn der Vorgesetzte nicht das Du angeboten hat. Menschen, die man nicht näher kennt, werden nach wie vor gesiezt.

Seite 33/3 Das Du darf der Ältere einem Jüngeren, der in der Hierarchie höher stehende seinem Untergebenen anbieten. Wenn ein Mann und eine Frau sich näher kennenlernen, gibt es keine festen Regeln mehr, wer wem das Du anbieten darf.

Seite 33/4 Sagen Sie der Person, die Sie duzt, freundlich aber bestimmt, dass Sie lieber beim „Sie" bleiben möchten.

5 Rechte und Pflichten am Arbeitsplatz

Seite 36/1 §1: Beginn des Arbeitsverhältnisses; §2: Probezeit; §3: Tätigkeit; §4: Vergütung; §5: Arbeitszeit; §6: Urlaub

Seite 37/1 3; 7; 6; 4; 1; 2; 5

Seite 37/2 B Probezeit (9+4); 4. Arbeitsvergütung (2+15); E Arbeitszeit (16+7); F Überstunden (8+11); G Erholungsurlaub (5+13); H Krankheitstag (3+1); 9. Nebentätigkeit; 10. Verschwiegenheitspflicht (10+12)

Seite 38/3 Figur links: Arbeitnehmer; Figur rechts: Arbeitgeber

Seite 39/1 Kollege 1: braucht Geld; Kollege 2: beschwert sich über Versetzung; Kollege 3: möchte eine Abfindung (= Geld), wenn er den Betrieb verlässt.

Seite 40/2 1 C; 2 E; 3 B; 4 A; 5 D

Seite 41/3 17. Februar; 19. Mai; 19. August; 19. November

Seite 43/2 A2 , B1, C5, D3, E4

6 Arbeit und Geld

Seite 44/2 Durchschnittsverdienst der Deutschen pro Jahr/Monat nach Bundesländern

Seite 45/1 A5 (Arbeiter), B3 (Angestellter), C4 (Beamtin), D2 (Kursleiterin), E1 (Taxifahrer)

Seite 46/1 1d; 2f; 3a; 4e; 5g; 6i; 7b; 8c; 9h

Seite 47/3 a. Pflegeversicherung; b. Krankenversicherung; c. Lohnsteuer; d. Arbeitslosenversicherung; e. Kirchensteuer; f. Rentenversicherung; g. Solidaritätszuschlag

Seite 48/3 Bankkauffrauen/-männer: 715 Euro; Chemielaboranten: 540 Euro; Köchinnen/Köche: 358 Euro

Seite 49/2 a) Rosi M. und Cengiz D.: für Grundlohn. Dorothee S. und Herbert W.: gegen Grundlohn; b) Rosi und Cengiz verdienen 900 Euro im Monat (= wenig). Dorothee und Herbert verdienen wahrscheinlich gut..

Seite 50/1 Beispiel 1: B; Beispiel 2: D; Beispiel 3: C; Beispiel 4: A

Seite 51/1 zuerst Kollegen fragen, dann an Lohnsteuerhilfeverein wenden oder beim Finanzamt beraten lassen oder zu einem Steuerberater gehen (teuer!).

7 Technik

Seite 52/1 Waschmaschine: Elektrizität, Einschaltknopf, Programmwahl; Handy: Elektronik, Strahlung, Tasten, Display, Menü, Einschaltknopf; Kugelbahn: Mechanik; Fotoapparat: Optik, Einschaltknopf, Menü

Seite 52/3 vor 1800: 2, 5, 6; 1800 - 1850: 1, 13; 1850 - 1900: 7, 9, 14, 20; 1900 - 1950: 8, 15, 16, 17, 18; 1950 – 2000 ...: 3, 4, 10, 11, 12, 19, 21

Seite 54/1 Antenne: für Empfang; Hörkapsel: zum Hören; Display: zeigt die gewählte Nummer bzw. Nummer des Anrufers an; Tastenfeld: zum Wählen; Mikrofon: zum Verstärken/Aufzeichnen von Ton; Ladekontakte: zum Aufladen von Batterien/Akkus

Seite 54/2 Nummer des Anrufers oder die Nummer, die man selbst gewählt hat.

Seite 55/1 Kopierer (vgl. mittlere Spalte, letzte Zeile)

Seite 55/2 linke Spalte: Einsetzen der neuen Patrone, mittlere Spalte: Entfernen der alten Patrone, rechte Spalte: Vorbereiten der neuen Patrone; *Kontrolle des Kopierers* und *Entsorgen der alten Patrone* passen nicht.

Seite 55/3 1. mittlere Spalte; 2. rechte Spalte; 3. linke Spalte

Seite 57/1 1Q; 2J; 3M; 4A; 5I; 6O; 7E; 8N; 9K; 10H; 11P; 12F; 13C; 14L; 15R, 16G; 17D; 18B;

8 Schreiben und Rechnen

Seite 60/1 1: Postkarte; 2: Anzeige; 3: Telefonnotiz; 4: Formular; 5: Geschäftsbrief; 6: Gedicht

Seite 62/1 **Berichten, was Sie getan haben**
abhören – hat abgehört (Der Arzt hat die Brust des Patienten abgehört.); ausbauen – hat ausgebaut (Wir haben das Dachgeschoss ausgebaut.); beschriften – hat beschriftet (Ich habe meine CD-Sammlung beschriftet.); eingebaut, geholfen, gepflegt, gereinigt, getestet, verschrieben, abgeschaltet, gebaut, beseitigt, eingekauft, kontrolliert, geplant, renoviert, unterrichtet, gewartet, angefangen, bedient, bestellt, eingeordnet, gelesen, produziert, repariert, untersucht, gewaschen, angeschaltet, befestigt, gecheckt; eingestellt, gemessen, programmiert, geschrieben, verkauft, überprüft, aufgehört, beraten, durchgeführt, erneuert, organisiert, geputzt; telefoniert, verpackt, gefaxt

Seite 62/1 **Geschäftsbrief:** 8, 2, 5, 3, 6, 4, 7, 1

Seite 63-64/1 Sie führen Verkaufs**gespräche** und fin**den** die Wün*sche* der Kun**den** heraus. Da**nach** bieten **sie** Waren od**er** Dienstleistungen an, di**e** zu die**sen** Wünschen pas**sen**. Ziel i**st** es, da**ss** die Kun**den** zufrieden si**nd**. Freundlichkeit u**nd** Interesse an Men**schen** sind wi**chtig** für die**sen** Beruf. Ab**er** man mu**ss** auch vi**el** über di**e** Produkte wis**sen**.

Seite 63-64/2 Verkäufer haben aber noch **weitere** Aufgaben: Sie sind in der Warenannahme tätig, kontrollieren die Lieferung, sorgen für eine sachgerechte Lagerug der Produkte und kümmern sich um die Pflege der Waren. Verkäufer sorgen dafür, dass die Waren in ausreichender Menge und Sortierung im Verkaufsraum vorhanden sind. Sie verpacken die Waren und bringen schließlich mit dem Kassieren den Verkaufsvorgang zu einem erfolgreichen Abschluss. Darüber hinaus schreiben Verkäufer Rechnungen, führen Bestands- und Bestell-Listen und pflegen die Kundendatei.

Seite 64/1 √: Quadratwurzel aus; ÷: dividiert durch; x: mal; =: (ist) gleich; +: plus; -: minus; %: Prozent

Seite 64/2 10765 + 567=11332; 45 : 9=5; 12 x 12=144; 1,5 + 3,5=5

Seite 65/4

Produkt	Stück	Stückpreis	Summe
T-Shirt, weiß	60	3,99	239,40
T-Shirt, Extraqualität	20	10,25	205,00
Sweatshirt	20	14,35	287,00
		netto	731,40
		MwSt. 19 %	138,97
		brutto	870,37

Wenn der Kunde innerhalb von 2 Wochen zahlt, bekommt er 2 % Skonto (= Nachlass) und muss 852,96 Euro zahlen.

Seite 65/5 Der Gast muss 35,40 Euro zahlen. Er bekommt 14,60 Euro zurück.

9 Arbeitslos – und dann?

Seite 66/1 1.g; 2.b; 3.e; 4.d; 5.f; 6.a; 7.d; 8.c; 9.f

Seite 67/3 Deutschland ist eine Arbeitsgesellschaft. Wenn jemand nicht arbeiten kann, wird er von den sozialen Sicherungssystemen aufgefangen (z. B. Arbeitslosengeld, Rente).

Seite 68/2 a2; b3; c1

Seite 69/2 1. Arbeitsvermittlung, 2. Berufsberatung, 3. Grundsicherung

Seite 69/3 Leistungsbezug: Geld bekommen; Hilfsbedürftigkeit: zu wenig Geld zum Leben haben; Arbeitsvermittlung: eine Arbeit bekommen/geben; Aufenthaltsort: der Ort, an dem man wohnt; Erwerbsfähigkeit: arbeiten können; Anspruch: ein Recht auf etwas haben; Grundsicherung: Geld für Essen, Trinken, Wohnen; Aufnahme einer Beschäftigung: eine Arbeit beginnen

Seite 70/1 **Wer?** Personen, die arbeiten können und Geld für die Arbeitslosenversicherung gezahlt haben. **Wo?** Bei der Agentur für Arbeit; **Wie lange maximal?** 18 Monate, wenn man über 55 ist und 36 Monate lang die Arbeitslosenversicherung bezahlt hat. **Wie viel ungefähr?** Ungefähr 60 % des letzten Nettolohns bzw. 67 %, wenn man Kinder hat.

Seite 70/2 1.10 Monate; 2. 927,95 Euro

Seite 71/1 1R; 2F; 3F; 4F; 5R; 6F

Seite 71/2 312 + 312 + 208 + 208 + 278 + 650 = 1968 Euro (2 Elternteile, 2 Kinder, ein Jugendlicher, Miet- und Heizkosten)

Seite 72/1 Nahrungsmittel, Getränke ...: 1, 2; andere Waren/ Dienstleistungen: 3, 6, 7, 10, 14; Freizeit: 4; Bekleidung/Schuhe: 5; Gesundheitspflege: 8, 13; Verkehr: 9; Telefon/Porto: 11; Wohnen: 12

Seite 72/2 Lebensmittel: 4,48 Euro, Verkehr: 0,64 Euro

Seite 73/1 1. Beratungsstelle aufsuchen; 2. nach Öffnungszeiten des Jobcenters fragen; 3. Adresse des Jobcenters suchen; 4. Antrag auf Arbeitslosengeld II besorgen; 5. Unterlagen zusammensuchen; 6. fehlende Unterlagen beantragen

Quellenverzeichnis

S. 4   Fotos Postschalter und Postfahrer: Anke Schüttler; alle anderen Fotos: Sibylle Freitag

S. 6   Fotos: links: Lutz Rohrmann; Mitte: Langenscheidt-Archiv; rechts: © Shutterstock

S. 11   (v.l.n.r.) 1., 2. und 4. Foto: Susan Kaufmann; 3. Foto: Anke Schüttler

S. 12   Fotos: 1: Susan Kaufmann; 2, 6 und 9: Anke Schüttler; 3, 4 und 8. © fotolia.com; 5: Sibylle Freitag; 7 und 10: © iStockphoto

S. 13   Fotos: oben links: © iStockphoto; oben rechts und Mitte rechts: Sibylle Freitag; Mitte links: mit freundlicher Genehmigung von Alexandra Brod; unten: mit freundlicher Genehmigung von Nadja Faber

S. 16   Foto unten links: © pixelio

S. 18   Foto links: Sibylle Freitag, Foto rechts: © pixelio; Logo BDA: mit freundlicher Genehmigung der BDA Bundesvereinigung der Deutschen Arbeitgeberverbände; Logo DGB: mit freundlicher Genehmigung des DGB, Deutscher Gewerkschaftsbund

S. 19   Text und Fotos: „Ich bin Hamburger": © asm, Arbeitsgemeinschaft Selbstständiger Migranten e.V., Hamburg

S. 20   Logo der Firma Drechsler: mit freundlicher Genehmigung der Firma Helmut Drechsler, Hirschau

S. 23   Foto: Lutz Rohrmann

S. 24   Broschüren „Tipps zur erfolgreichen Bewerbung" / „Berufsberatung": © Bundesagentur für Arbeit

S. 26   Foto: Sibylle Freitag

S. 28   Fotos: 1 und 4: © Fotolia; 2: Annerose Bergmann; 3, 5 und 6: Anke Schüttler

S. 31   Foto: Lutz Rohrmann

S. 32   Foto Gabelstapler: Lutz Rohrmann

S. 34   Foto: Sibylle Freitag

S. 36   Fotos: Anke Schüttler

S. 39: Text „Aus dem Leben eines Betriebsrats": Auszug aus dem Artikel „'Wir haben doch alles - außer chinesischen Löhnen'. Ein Tag im Leben eines Betriebsrats." in „Das Parlament", Nr. 22, 2005: Mit freundlicher Genehmigung des Autors, Jens Tönnesmann, Köln

S. 42: Foto: © Corbis

S. 44: Fotos: links: Susan Kaufmann; rechts: Anke Schüttler; Grafik „Bruttolöhne und -gehälter 2006", Datenquelle: Arbeitskreis „Volkswirtschaftliche Gesamtrechnungen der Länder" / Statistisches Landesamt Baden-Württemberg, 29.3.2007

S. 46: Statistik „Extra für die Reisekasse": WSI Tarifarchiv, 30.4.2006, mit freundlicher Genehmigung der Hans-Böckler-Stiftung

S. 47   Foto: Sibylle Freitag

S. 48: Statistik „Der große kleine Unterschied", SZ-Grafik „Wie viel Männer mehr verdienen", Süddeutsche Zeitung vom 19.7.2007; Foto: Anke Schüttler

S. 49   Interview SPIEGEL ONLINE – 30. November 2005. URL: http://www.spiegel.de/wirtschaft/ 0,1518,386396, 00.html; Foto Prof. Dr. Götz Werner: © Arthen Kommunikation GmbH, Karlsruhe – mit freundlicher Genehmigung; Foto unten links: © VSO / Liba Taylor; Fotos Mitte links und rechts und unten: Anke Schüttler

S. 50   Foto unten Mitte: Sibylle Freitag; alle anderen Fotos: Anke Schüttler

S. 51   Fotos: oben: Albert Ringer; unten links: Langenscheidt-Archiv; Logo Lohnsteuerhilfe: © Vereinigte Lohnsteuerhilfe e.V., Essen

S. 52   Fotos: Kugelbahn: mit freundlicher Genehmigung des Konstrukteurs dieser Kugelbahn, Dr. Michael Barbulescu, Bonn; Handy: Lutz Rohrmann; Fotoapparat und Waschmaschine: Albert Ringer

S. 53   Fotos: oben links: Langenscheidt-Archiv; oben rechts: Anke Schüttler; unten: Sibylle Freitag

S. 55   Tischkopierer: aus: Canon FC 290/FC 120, FC 100, Bedienungsanleitung, S. 20 f., Canon Deutschland

S. 56: Fotos: PC links: © http://creativecommons.org/licenses/by-sa/2.5/; PC rechts: Andrea Pfeifer

S. 57   Schilder: mit freundlicher Genehmigung der Firma Schilder-Hofmann e.K., Zirndorf-Weinzierlein

S. 60   Foto: Lutz Rohrmann

S. 63   Foto: Albert Ringer

S. 64   Foto: Lutz Rohrmann

S. 65: Foto: Sibylle Freitag

S. 66   Fotos: oben links: Anke Schüttler; oben rechts: Claus Koeppel; Mitte rechts: © Fotolia; unten links: Langenscheidt-Archiv

S. 67   Statistik „Das Haushaltsnettoeinkommen in Deutschland 1994 und 2004" aus: ANALYSE. Entwicklung der personellen Einkommensverteilung in Deutschland". Quelle: SOEP nach Berechnungen des DIW Berlin – German Institute for Economic Research, mit freundlicher Genehmigung von SOEP; Foto Lutz Rohrmann

S. 68: Grafik „Wirtschaftsstruktur im Wandel": © Zahlenbilder, Erich Schmidt Verlag; Foto links: © Ullstein Bild; Foto rechts: akg-images, Berlin

S. 69: Foto: Albert Ringer

S. 72: Foto: Albert Ringer

S. 73: Logo JobCenter Hamm – mit freundlicher Genehmigung des Kommunalen JobCenters Hamm AöR